Alexandra Reinwarth
Am Arsch vorbei geht auch ein Weg

Am Arsch vorbei geht auch ein Weg

Wie sich dein Leben verbessert, wenn du dich endlich locker machst

Alexandra Reinwarth

Bibliografische Information der Deutschen Nationalbibliothek
Die Deutsche Nationalbibliothek verzeichnet diese Publikation in der Deutschen Nationalbibliografie. Detaillierte bibliografische Daten sind im Internet über http://dnb.d-nb.de abrufbar.

Für Fragen und Anregungen:
info@mvg-verlag.de

Sonderausgabe
1. Auflage 2019
© 2016 by mvg Verlag, ein Imprint der Münchner Verlagsgruppe GmbH,
Nymphenburger Straße 86
D-80636 München
Tel.: 089 651285-0
Fax: 089 652096

Redaktion: Petra Holzmann
Umschlaggestaltung: Kristin Hoffmann, München
Umschlagabbildung: amnat11/Shutterstock.com, Borja Andreu/Shutterstock.com
Satz: inpunkt[w]o, Haiger
Druck: GGP Media GmbH, Pößneck
Printed in Germany

ISBN Print 978-3-7474-0124-8
ISBN E-Book (PDF) 978-3-86415-926-8
ISBN E-Book (EPUB, Mobi) 978-3-86415-927-5

Weitere Informationen zum Verlag finden Sie unter

www.mvg-verlag.de
Beachten Sie auch unsere weiteren Verlage unter www.m-vg.de

INHALT

EINLEITUNG

Es fing damit an, dass ich zu Kathrin »Fick dich!« gesagt habe. Dazu muss man wissen: Ich sage das normalerweise nicht zu Leuten. Ich werfe generell nicht mit Aufforderungen zum Geschlechtsverkehr um mich, egal wann. Nicht mal beim Autofahren.

Aber Kathrin, das muss man wissen, ist einer dieser Menschen, die einem immer das Gefühl geben, man hätte etwas falsch gemacht und stehe nun in ihrer Schuld. Kennen Sie solche Leute? Solche, die sich immer beschweren, aber nie etwas verändern? Leute, die einem die Energie aussaugen wie kleine Kinder Capri-Sonnen?

Kathrin befindet sich in einem konstanten Jammertal. Wäre es ihr Ernst damit, könnte man vermuten, sie leide an Depressionen. Mir wurde aber mit der Zeit klar, dass Kathrin mitnichten depressiv ist, sondern eine blöde Gans.

Das Leben schien Kathrin permanent übel mitzuspielen: der Job schlimm, ihre Beziehung mit Jean-Claude im Eimer, die Familie wälzt alles auf sie ab, die Zukunft ist düster, sie weiß nicht mehr ein noch aus. Und während ich mir Sorgen um sie machte, unternahm Kathrin Kreuzfahrten, gab Partys und heiratete Jean-Claude.

Als sie mir mal wieder leid tat (»Die Ehe ist so gut wie gescheitert!«) und sie mit Jean-Claude eine Städtereise nach Venedig machte (die Idee kam von mir: damit die beiden etwas Schönes miteinander unternehmen), passte ich auf den Hund auf, goss die Pflanzen und salzte das Meerwasser-Schwimmbecken. Und das Haus von Kathrin liegt nicht um die Ecke. Das Haus von Kathrin ist außerdem sehr groß, modern und sauteuer eingerichtet – trotz der großen finanziellen Belastungen, die auf ihren schmalen Schultern liegen. Kathrin ist nämlich viel zu gut für diese Welt, sagt sie. Zum Beispiel, wenn sie einen Handwerker normal bezahlt, anstatt ihn monatelang hinzuhalten, um ihn dann mit der Hälfte abzuspeisen. So ginge das nämlich auch. »Aber der hat ja vielleicht auch Familie, denke ich mir dann«, sagt sie und schaut wie eine Madonna.

Als wir uns nach dem Venedig-Trip trafen, war sie etwas in Eile – sie musste Jean-Claude noch schnell bei der Massage abliefern, denn die Betten in dem Hotel, das ich empfohlen hatte, waren ka-tas-tro-phal. Der Trip war natürlich ein Desaster, sie hatte aber tapfer das Beste daraus gemacht.

Beim nächsten Treffen ist dann die Mutter krank, was sie mit einem Timbre sagt, dass man davon ausgeht, die Mama kippt morgen vom Stängchen. Kurz – irgendwas ist immer. Und immer ist es ein Schicksalsschlag, darunter macht sie es nicht. Derweilen hat die Mama nur Kopfweh oder Wasser in der Hüfte oder was weiß denn ich.

Sie verstehen das Prinzip? Es war immer das Gleiche – Kathrins Welt kreiste nur um Kathrin. Irgendwann stellte ich also fest, dass ich gar keine Lust hatte, ebenfalls immer um Kathrin zu kreisen, ich bin nämlich kein Satellit.

Warum ich Kathrin nicht schon viel früher zum Teufel geschickt habe, kann ich gar nicht sagen – auch wenn mein Lebensgefährte L. mich das auch immer wieder fragte. Anfangs war mir irgendwie gar nicht so bewusst, dass sie mich nur benutzte, und dann ging ich der Konfrontation aus dem Weg. Im Zuge einer generellen Lebensverbesserung mithilfe des Glücksprojekts[1] kam ich aber zu dem Entschluss: Kathrin muss weg.

Ich hatte vorher noch nie mit einer Freundin Schluss gemacht. Normalerweise läuft es doch so, dass man sich irgendwie nicht mehr so gut versteht, sich immer seltener sieht und dann schläft der Kontakt sanft ein. Fertig. Der Schlag Freunde aber, die einen aussaugen wie die Blutegel, die lassen nicht einfach los. Wie genau ich das mit dem Schlussmachen nun anstellen sollte, war mir also nicht ganz klar – vor allem wie ich es anstellen sollte, ohne mich vor lauter *unangenehm!* dabei zu winden wie ein Regenwurm.

L.'s Vorschlag war dahingehend recht pragmatisch: Du gehst einfach hin und sagst:»Kathrin, du gehst mir auf die Nerven und ich will dich nicht mehr sehen«, dann überlegte er kurz und hängte noch »du Sau« hinten dran. L. konnte Kathrin noch nie leiden.

Ich weiß, es gibt Leute, die hätten den Nerv, das genau so zu machen. Ich gehöre nicht dazu. Im Gegenteil. Ich spiele in dem Team, bei dem man sich entschuldigt, wenn man angerempelt wird.

Um dem Ganzen aus dem Weg zu gehen, erwägte ich also stattdessen andere Maßnahmen:

- L. als Vertretung hinschicken
- Eine neue Identität annehmen und Kathrin mein bedauerliches Ableben vortäuschen
- Bedauerlicherweise ableben

---

1   Das Glücksprojekt, mvg Verlag, ISBN-13: 978-3868822052

Als dann der große Moment kam und ich Kathrin in einem Café gegenübersaß, war sie zu meinem großen Glück so unmöglich, dass ich die aufsteigende Welle Zorn direkt verwandeln konnte und auf dieser zu dem legendären Moment surfte:

»Kathrin?«

»Ja?«

»Fick dich!«

Für andere vielleicht kein großes Ding, aber ich fühlte mich wie eine zwei Meter große Jeanne d'Arc. Auf dem Weg aus dem Café kam es mir vor, als ginge ich in Zeitlupe, und wie bei Boxern auf dem Weg zum Ring ertönte bei meinem Abgang eine melodramatische Musik mit Trompeten und allem Drum und Dran. Ich schwang meinen Poncho auch prompt so schwungvoll um meine Schultern, dass es gleich noch einen völlig unbeteiligten Stapel Flugblätter vom nächsten Wandregal fegte. Während diese sanft zu Boden segelten, schritt ich erhobenen Hauptes nach draußen, und es hätte mich nicht verwundert, dort ein treues Ross vorzufinden, um mich in Richtung weiterer, lebensgefährlicher Abenteuer zu bringen.

»Hä? Aber Jeanne d' Arc war doch kein Boxer …«, unterbricht L. an diesem Abend meinen Bericht und sieht dabei deutlich verwirrt aus. Männer hören oft nicht gut zu, oder? Ich stelle mir das so vor, dass die so ein leichtes Rauschen hören, zwei, drei signifikante Substantive herauspicken und sich den Rest zusammenreimen. Ergeben diese Wörter keinen Sinn, haben sie ein Problem …

Tatsächlich geht es mir natürlich nicht um französische Nationalheldinnen oder gar ums Boxen, es geht noch nicht mal um

Kathrin und ihren beknackten Meerwasserpool. Es geht darum, warum ein einzelnes *Fick dich!* so eine derartige Hochstimmung auslösen kann.

»Ich glaube, es geht um Freiheit«, meinte Anne, meine esoterische Freundin, als ich ihr von dem Moment erzählte, und ich glaube wiederum, sie hat recht. Es war ein befreiender Akt, wobei das ganze Trompetengedöns nicht davon kam, dass ich mich von Kathrin, der blöden Gans, befreit habe, sondern dass ich mich in dem Moment frei von meinen eigenen, popeligen, selbst auferlegten, beklemmenden Einschränkungen gefühlt habe. Einfach zu tun, was einem richtig erscheint – ohne sich Gedanken zu machen, ob einen danach noch alle dufte finden. Herrlich. Sollte es so nicht eigentlich immer sein? Gerade heraus? Und wo genau ist die Grenze zwischen frei sein und Arschloch sein?

In den darauffolgenden Wochen fiel mir nicht nur auf, dass mein Leben ohne Kathrin schöner war, ich bemerkte auch in anderen Situationen, dass das, was ich tat, oft davon gesteuert war, was andere über mich denken könnten und nicht davon, was ich wollte. Wollte ich mich morgens schminken, wenn ich nur das Kind in den Kindergarten brachte? Zur Hölle, nein! Also warum machte ich das dann? Die scheußliche Antwort ist: um vor den anderen Eltern ein gutes Bild abzugeben. – Dabei finde ich neunzig Prozent von denen noch nicht mal sympathisch! Apropos sympathisch: Warum ging ich überhaupt auf die Weihnachtsfeier der Agentur? Weil ich die Chefs und Kollegen so gerne mag? Nope! Und warum bin ich eigentlich immer noch in dieser beknackten WhatsApp-Gruppe, die dafür sorgt, dass mein Handy mitten in der Nacht vibriert wie anderer Leute Sexspielzeug? Je mehr ich darüber nachdachte, umso mehr fiel es mir auf: Ich verbrachte viel zu viel Zeit mit Leuten, die ich nicht mochte, an Orten, die mir nicht gefielen, und tat Dinge, die ich nicht wollte. Das ist doch Scheiße.

Je mehr Dinge mir einfielen, desto konkreter wurde mein Plan: Wenn es schon so ein bombastischer Erfolg war, Kathrin aus meinem Leben zu schmeißen – was könnte dann erst für ein wunderbares Leben vor mir liegen, wenn ich all die Dinge aus meinem Leben strich, die mir eigentlich widersprachen? Wenn ich zum Beispiel zu den Kollegen in der Agentur sagen würde:»Danke, aber ich möchte nicht nach der Arbeit noch ein Glas trinken gehen. Nein, nicht nur heute nicht, sondern generell nicht.« Es würde sich so viel besser anfühlen, als mir abstruse Ausreden einfallen zu lassen und dann aufzupassen, dass ich mich nicht verplappere und alles rauskommt á la:

»Und, geht es deiner Schwester heute schon besser?«

»Schwester? Ich habe keine Schwester!«

Alles schon dagewesen.

»Verstehst du, was ich meine?«, fragte ich L. am gleichen Abend, als er gerade Gemüse in kleine Würfel schnitt.»Hmja, schon«, druckst er etwas herum.»Es ist nur – das wird doch kein Plan, in dem du zu einem rücksichtslosen Egoisten wirst, oder?«

»Ach was«, fegte ich seine Bedenken vom Tisch, aber er hatte natürlich recht. Es besteht eine nicht geringe Chance, während dieser Befreiungsaktion zum Arschloch zu mutieren, aber das würde ich schon hinbekommen. Ich war voller Tatendrang – wunderbare Zeiten lagen vor mir. Was würde passieren, wenn ich meine Zeit und meine Energie (und mein Geld) nur in Dinge, Menschen oder Situationen investierte, die mich froh machten? Das wäre doch wunderbar!

»Nicht wahr, mein Schatz?«, fragte ich das Kind, das begeistert seine Ärmchen um meine Beine schwang. »Schokolade!«, sagte es, wie immer, denn das ist sein Lieblingswort. Genau. Schokolade.

Wer noch der Meinung ist, das Leben könnte etwas mehr Freiheit, Muße, Eigenbestimmung und Schokolade vertragen und dafür weniger Kathrins, WhatsApp-Gruppen und Weihnachtsfeiern, der ist hier goldrichtig. Ich hoffe, ich kann hierfür Inspiration und Anschubhilfe bieten. Wir kümmern uns auf den weiteren Seiten um Folgendes:

- Wie man sich Leute oder Dinge am Arsch vorbeigehen lässt.
- Wie man deswegen aber trotzdem nicht zum Arschloch mutiert.
- Welches sind die Kriterien, die helfen zu unterscheiden, was einem tatsächlich wichtig ist und was nicht.
- Wie kleine Entscheidungen einen großen Effekt auf die Lebensqualität haben können.
- Wir visualisieren eine ziemlich lustige Übung, wie etwas am Arsch vorbeigeht.
- Es wird auf verschiedene Fettnäpfchen hingewiesen, in die ich im Zuge der Sortierarbeit hineingeraten bin.

Zusätzlich können Sie auch online auf www.am-arsch-vorbei.de schauen und sich das »Am-Arsch-vorbei«-Lebensgefühl holen.

Bevor wir beginnen, möchte ich Ihnen die erwähnte lustige Übung präsentieren. Es ist eine Imagination, ein Bild, das wir uns vorstellen und das jederzeit abrufbar ist. Hoffentlich finden Sie es auch so toll wie ich:

Also. Sie kennen doch Toreros? Die – Olé! – Stierkämpfer mit den knackigen Pos und den albernen Klamotten? Stellen Sie sich vor, Sie wären einer davon. Und stellen Sie sich auch vor, Sie hätten eines dieser roten Tücher dabei, mit denen die immer die Stiere herbeiwedeln. Haben Sie das? Gut.

Egal, auf was wir im Buch stoßen: Was Ihnen von nun an am Arsch vorbeigehen soll, lassen Sie es angaloppieren, Fahrt aufnehmen, und dann, kurz bevor es sie erreicht, machen Sie einen eleganten Torero-Hüpfer zur Seite und lassen es haarscharf an Ihrem Arsch vorbeirennen. Olé!

Ein weiterer Helfer, den ich Ihnen an die Seite stellen möchte, ist Ole. Während ich mir nämlich noch überlegte, wie dufte es wäre, nur noch das zu tun, auf das man wirklich Wert legt, fiel mir jemand ein, der genau das schon immer tut (abgesehen vom Kind, das tut das auch): mein Freund Ole.

Mein Ole ist ein Freund aus Jugendtagen und inzwischen ein wahnsinnig erfolgreicher Geschäftsmann. Er ist gefühlte zwei Meter fünfzig groß, ein reizender Kerl, und er tut nie etwas, was er nicht möchte. Unnötig zu sagen, dass Ole in keiner Whats-App-Gruppe ist, und auch auf der Weihnachtsfeier seiner Firma bleibt er nur, wenn es lustig ist. Trotzdem ist er ein beliebter Chef, er hat einen großen Freundeskreis und eine tolle Familie.

Er wird einem allerdings nicht beim Umzug helfen und er wird einem auch nicht beim Poetry-Slam zujubeln, auch wenn man ihn hundertmal darum bittet. – Aber das ist okay, so ist er halt. Man mag ihn trotzdem.

Wenn mich in der Arbeit jemand fragt, ob ich noch schnell über einen Text gucken kann, neige ich dazu zu sagen:»Ja, klar, gib her.« Dadurch gerate ich in Zeitmangel, komme dann in Stress und zu guter Letzt ärgere ich mich noch über mich selber. Wenn jemand Ole fragt, ob er noch schnell über einen Text gucken kann, sagt er »Nö«. Und macht es nicht. Er hat mehr Zeit, ist weniger gestresst, ärgert sich nicht über sich selbst, und man hat ihn trotzdem lieb, weil er dennoch ein feiner Kerl ist.

Mir hat Ole sehr geholfen auf meinem Weg am Arsch vorbei – einfach, weil ich mir in haarigen Situationen vorstellen konnte, wie er wohl reagieren würde. Da war es dann, als stünde er neben mir mit seinen zwei Meter fuffzig und sagt:»Das machst du unter gar keinen Umständen, meine Liebe.« Kennen Sie auch so jemanden? Wenn ja, stellen Sie denjenigen an Ihre Seite. Wenn Sie niemanden kennen, der so ist, leihe ich Ihnen meinen Ole. Dann kann's ja losgehen.

WARUM IST ES SO SCHWER, SICH DIE DINGE AM ARSCH VORBEIGEHEN ZU LASSEN?

... sooo breit ist der nun auch wieder nicht ...

Überlegen wir, warum es so schwer ist, gänzlich unbeschwert und nur beispielsweise zu unserem Freund Tom zu sagen:»Mein Lieber, ich wünsche dir viel Erfolg bei deinem Auftritt heute beim Poetry-Slam in Oberbröckelaurach, aber ich komme nicht. Ich muss dringend – auf dem Sofa liegen.« Das kann so unangenehm sein, dass man, statt gemütlich mit Hund und Mann auf dem Sofa zu liegen, in Oberbröckelaurach auf einem wackelnden Holzstuhl sitzt, an einem alkoholfreien Bier nippt und sich Gedichte anhört, die ungefähr so gehen:

Vale vale, die Sandale,
Schmeck schmeck ei!
Sin Sandale, vale
mimi hai.

Honkfort! Horch.
Schale, schale, schale –
gunfug Bestelei!

Hermfrau freu, eidelei
sniffel die Sandale?
Schmeck. Schmeck, Ei.

Und das ist nicht gelogen. Dann fährt man nach Hause, schnauzt Hund und Mann an, weil sie es gar so gemütlich haben, und schmollt sich ins Bett. Eventuell überlegt man sich auch schon eine Ausrede für nächsten Mittwoch, da tritt Tom nämlich in Unterbröckelaurach auf. Da ist doch der Wurm drin! Nur weil man Tom mag, muss man sich noch lange keine Gedichte über Sandalen anhören. Es ist ja auch nicht so, dass uns plötzlich Tom am Arsch vorbeigehen sollte − Poetry-Slam hingegen (zum Beispiel) kann einem durchaus am Arsch vorbeigehen.[2]

Es ist aber auch nicht weiter verwunderlich, dass wir so verdruckst sind: Von klein auf werden wir dazu erzogen, nett zu sein, andere nicht vor den Kopf zu stoßen und Rücksicht zu nehmen. Das ist wundervoll, verstehe mich niemand falsch. Ich finde es großartig, wenn Menschen von Anfang an dazu gebracht werden, möglichst keine Arschlöcher zu werden − auch wenn das weiß Gott nicht immer gelingt. Gleichzeitig fände ich es aber gut, wenn man auch von klein auf zugestanden bekommt, Dinge, Menschen oder Tätigkeiten mitunter blöd zu finden. Ganz brandaktuelles Beispiel vom Kindergarten um die Ecke:

Vielleicht kennen Sie auch noch das alte Kinderlied von der tanzenden Katze, das ging so:

---

2 Eine ganz kleine Randbemerkung zu Poetry-Slam im Allgemeinen: eine großartige Sache. Wirklich. Die Beiträge sind mitunter wahnsinnig lustig, schlau, herzergreifend und fantastisch. Nur eben die von Tom nicht.

Guck die Katze tanzt allein,

tanzt und tanzt auf einem Bein![3]

Dann kommen alle möglichen Tiere vorbei und fordern die Katze zum gemeinsamen Tanz auf, stets erfolglos.

Der Igel ist ihr zu stachelig, der Hase zu hoppelig, der Hofhund bellt so fürchterlich und so weiter. Bis der Kater auf der Bildfläche erscheint. Da tanzen sie dann wunderbar zu zwein. Spitzenlied, oder? Finde ich auch. Anscheinend ist es aber nicht mehr zeitgemäß. Damit nämlich die ganzen tanzwütigen Viecher nicht vor den Kopf gestoßen werden, beziehungsweise die Kinder lernen, dass alle gleich sind und niemand benachteiligt werden darf, gehen inzwischen alle Strophen so: Jedes Tier sagt der Katze was ins Ohr und dann macht sie halt doch mit und tanzt mit ihnen. Im Ernst – was soll das? Kann die Katze den beschissenen Igel nicht einfach zu stachelig finden? ER IST STACHELIG!

Und ich finde, man muss mitnichten mit stacheligen, hoppeligen oder fürchterlich bellenden Tanzpartnern tanzen. Nope.

Noch nicht mal, als sich das Paar Kater – Katze findet, hört der Scheiß auf, dann heißt es nämlich:

Er (der Kater) bringt alle andern mit

und schon tanzen sie im Schritt.

Alle müssen mit und alle gehen zusammen heim! Wie bei so einer beknackten Reisegruppe Japaner. Kinder bekommen beigebracht, dass man andere nicht abweisen darf. Und wenn man

---

3   © Fredrik Vahle, *Der Katzentatzentanz*, Aktive Musik Verlagsgesellschaft mbH, Dortmund

dann erwachsen ist, muss man den Scheiß ausbaden, und zwar auf einem wackeligen Holzstuhl in Oberbröckelaurach.

Wenn es ganz schlecht läuft, müssen Kinder sogar ihr Spielzeug abtreten, das zieht sich deutschlandweit über alle Spielplätze, das ist der Wahnsinn: Leon Alexander hat das Auto, dann kommt Ben-Luis und will es auch haben. Könnte Ärger geben. Und schon rauscht die Mutter von Leon Alexander an und redet auf ihren Filius ein: »Gib doch dem Ben-Luis auch mal dein Auto, du hast doch schon so lange damit gespielt, gib's schon her, komm, da freut sich der Ben-Luis doch …« Und das macht sie dann so lange, bis ein sehr bedröppelter Leon Alexander unwillig und unter Tränen sein Auto hergibt. Dabei ist es sein verdammtes Auto! Hat der Ben-Luis eben Pech gehabt! Da braucht es dann in der Schule schon ein paar Kevin-Jeremys aus dem nächstgelegenen Problembezirk, um das wieder ins Lot zu rücken.

Kindern ist die Fähigkeit, sich Unwichtiges am Arsch vorbeigehen zu lassen, nämlich in die Wiege gelegt. Genauso wie Hunden, da lautet das Prinzip: »Wenn du nicht damit spielen kannst oder es essen kannst, pinkle drauf und lass es liegen.«

Allerdings handeln Kindern noch nach dem Lustprinzip, sie treffen keine bewussten Entscheidungen. Das Lustprinzip geht so:

Schokolade = gut = so viel wie möglich davon essen.

Erst später, nachdem sie sich ein paar Mal Bauchweh eingefangen haben oder aus dem Leim gehen, wird dieses Prinzip infrage gestellt.

In der Pubertät kommt es dann ganz dicke, zumindest für die meisten von uns: Die Meinung der anderen wird immens wichtig. Das betrifft nicht nur die Frisur, den Musikgeschmack und die Klamotten, es betrifft auch die eigene Person. In dieser Zeit, in der man selbst extrem unsicher und verwirrt ist, sucht man Orientierung und versucht, dem Bild zu entsprechen, das am besten ankommt.

Die Mädels haben es da noch etwas schwerer als die Jungs, denn bei ihnen kommt auch noch das verquaste Rollenbild Frau dazu und was die Medien im Allgemeinen und Heidi Klum im Besonderen zum Thema zu sagen haben. Mein Kind mit seinen nicht mal drei Jahren hat das recht treffend zusammengefasst, nachdem es irgendwo Fernsehwerbung gesehen hatte: »Frau nackig, Mann redet.« Daher dreht sich bei den Mädels überproportional viel um das eigene Erscheinungsbild – einige werden das auch nie mehr los.

Vielleicht fangen wir gleich damit an.

1. DIE EIGENE PERSON

- Bikinifigur am Arsch vorbei
- Aussehen generell am Arsch vorbei
- Selbstverbesserung am Arsch vorbei
- Dinge am Arsch vorbei

Mit der eigenen Person zu beginnen, ist naheliegend. Man hat eh so ein schwammiges Gefühl, dass man irgendwas an sich verbessern müsste: Der Hintern sollte kleiner, das Konto dafür dicker, das Selbstvertrauen größer und das Sexleben sollte irgendwie spannender sein, und Sport sollte man auch mal wieder machen. Fangen wir also an, am besten mit Schokolade.

Normalerweise ist es doch so, dass man sich auf ein gewisses Gewicht einpendelt. Ohne groß zu hungern oder besonders reinzuhauen (die Weihnachtszeit ausgenommen). Dieses eingependelte Gewicht hat in der Regel nichts, also überhaupt nichts mit dem Gewicht zu tun, das man für eine sogenannte Bikinifigur braucht.

BIKINIFIGUR AM ARSCH VORBEI

Eine Bikinifigur, also zumindest das, was die Öffentlichkeit unter einer Bikinifigur versteht, hatte ich das letzte Mal mit zwölf. Von da an waren Bikini und Figur zwei getrennte Welten, die sich auch nie wieder vereinen ließen. Teilweise bestanden nicht mal diplomatische Beziehungen zwischen den beiden. Seit ich also zarte dreizehn war, und ich verrate nicht zu viel, wenn ich sage, dass dies schon ein paar Jahre her ist, zog ich Jahr für Jahr im Sommer den Bauch ein. Am See, am Meer und am Badeweiher atmete ich von Juni bis August flach in den Bauch hinein und in den Achtzigern, als bauchfrei gerade hochmodern war, habe ich komplett die Luft angehalten. Ein Wunder, dass ich keine Spätschäden davongetragen habe.

Dank der gängigen Frauenzeitschriften wusste ich aber auch ganz genau, wie ich die Röllchen im Liegen bestmöglich kaschieren kann: In liegender Position auf einem Badehandtuch gab es nur eine einzige mögliche Haltung: auf dem Rücken liegend, mit leicht angezogenen Beinen, so sehen die nämlich dünner aus. Nur diese langen, schlaksigen Mädels saßen selbstbewusst im Schneidersitz oder wie sie eben wollten – dafür behielten sie meistens ihr T-Shirt an, zur Vertuschung des nicht vorhandenen Busens. Irgendwas ist eben immer.

Mein Verhalten hat sich inzwischen etwas entspannt – aber nicht wirklich. Ich erwische mich immer noch dabei, dass ich auf Stühlen am vorderen Rand sitze – da sehen die Beine dünner aus. Das habe ich mir irgendwann mal angewöhnt. Das ging ganz von alleine, genauso wie Leute mit schlechten Zähnen automatisch so lächeln, dass man ebendiese nicht zu sehen bekommt. Dass es in diesem Leben nichts mehr wird mit der Bikinifigur, weiß ich. Trotzdem habe ich permanent das Gefühl, ich müsste darauf hinarbeiten. Wie eine Mahnung liegt diese verdammte Jeans in meinem Schrank, die genau eine Nummer zu klein ist, und wenn sie könnte, sie zöge die Augenbrauen hoch, jedes Mal, wenn ich in Unterhosen vor dem Kleiderschrank stehe. Dabei, und das ist das wirklich Abstruse an der Geschichte, finde ich im wirklichen Leben Frauen immer dann besonders gut aussehend, wenn sie sich selbstbewusst präsentieren: mitsamt großer Nase oder krausen Haaren, einer breiten Hüfte oder einem Bäuchlein.

Vielleicht (vermutlich) ist diese *Frau-nackig-/Mann-redet*-Sache, die dem Kind schon aufgefallen ist, schuld, auf jeden Fall wird es wirklich Zeit, sich zu fragen:

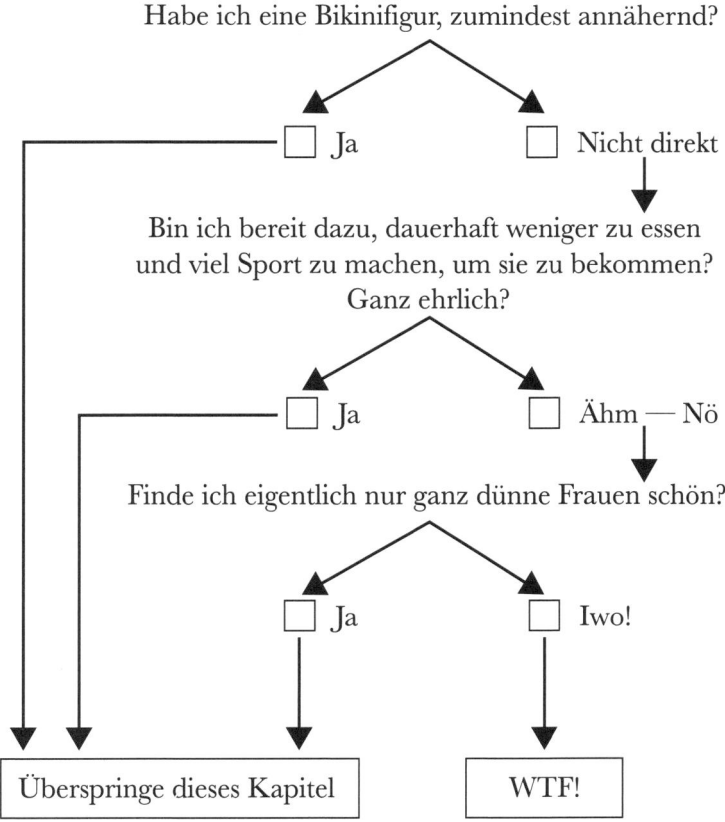

Habe ich eine Bikinifigur, zumindest annähernd?

☐ Ja   ☐ Nicht direkt

Bin ich bereit dazu, dauerhaft weniger zu essen und viel Sport zu machen, um sie zu bekommen? Ganz ehrlich?

☐ Ja   ☐ Ähm — Nö

Finde ich eigentlich nur ganz dünne Frauen schön?

☐ Ja   ☐ Iwo!

| Überspringe dieses Kapitel | WTF! |

»Eine Bikinifigur hat, wer einen Bikini anzieht, so sieht es doch aus«, erkläre ich denn auch Anne, die neben mir im Auto sitzt und uns Richtung Badesee fährt.

Neue Beschlüsse wollen umgesetzt werden, also nehme ich mir zu Recherchezwecken den Tag frei und fahre mit Anne baden. Ich erkläre ihr mein neues Vorhaben, mir die Bikinifigur am Arsch vorbeigehen zu lassen. »Hey!«, rüffle ich sie an, denn prompt hat sie einen Seitenblick in Richtung meines Allerwertesten geworfen.

Angekommen, legen wir unsere Handtücher ins Gras, und während Anne ihr dünnes Kleidchen über den Kopf zieht, bin ich mal wieder maßlos neidisch: auf ihre langen, schlanken Beine, den flachen Bauch und diese Hüftlinie, an die kein Donut jemals angedockt hat. Anne ernährt sich nämlich sowohl vegan als auch ökologisch, sie verzichtet auf weißen Zucker und auf weißes Mehl, Laktose und Tiefkühlware – nicht zu vergessen die Phase, in der sie versuchte, sich nur von Licht zu ernähren und mit der wir sie immer noch gerne aufziehen.

In meinem nächsten Leben habe ich auch solche Beine und trage jeden Tag Minirock, knallenge Slimstretch-Jeans und Hotpants.

»Und ich habe in meinem nächsten Leben ein Dekolleté«, seufzt Anne. Einen Bikini haben wir beide dabei und kaum schlüpfe ich in meinen rein und stehe in meiner vollen Pracht da, ziehe ich automatisch den Bauch ein – und könnte ich den Hintern, die Oberschenkel und die Hüften auch einziehen, ja, ich würde es tun.

Bewusst atme ich aus, entspanne mich, und der Bauch rutscht dahin, wo er hingehört. »Leg dich einfach so hin, wie du beim Einschlafen liegst, das ist bestimmt deine bequemste Position!«, rät Anne und das klingt vernünftig.

»Und? Wie fühlst du dich?«, fragt sie nach einiger Zeit, in der ich verkrampft auf der Seite liege. »Du kennst doch diese Bilder von gestrandeten Walen?«, frage ich zurück, und das trifft es eigentlich ziemlich gut. Ich fühle mich nicht gut. Nicht auf der Seite, nicht im Sitzen und schon gleich dreimal nicht im Schneidersitz. Ich achte nur noch mehr auf die diversen Röllchen und Falten, die sich zwischen mich und meine eigentliche Figur drängen, und werde darüber ein bisschen missmutig.

»Warum kann ich nicht auch veganen und weißen Tiefkühl-Zucker weglassen? Und auf eine zweite Portion Nachtisch verzichten? Warum kann ich meinen Hintern nicht in so ein Personal-Trainer-Höllentraining bewegen? Oder verdammt noch mal nicht die Schokolade wieder einpacken, nachdem ich ein Stück gegessen habe?«

»Weil du Schokolade liebst«, höre ich es hinter mir, und da steht L. mit Handtuch, Hund und Kind. L. hat sich kurzerhand auch frei genommen, das Kind abgeholt und uns sogar eine große Wassermelone mitgebracht.

Da stehen sie und grinsen mich an – und dann ist für meinen Ärger plötzlich kein Platz mehr. Ich trage das Kind mitsamt seiner Hai-Badehose zum Wasser, der Hund sieht uns schwanzwedelnd zu und L. schneidet die Melone in mundgerechte Stücke. Kurz kommt mir in den Sinn, dass ich eventuell nicht die beste Figur abgebe, während ich mit dem Kind Seemonster spiele, aber dann quiekt es vor Vergnügen und es geht wieder.

Auch vergesse ich während des Wettrennens zurück zum Handtuch, dass ich dabei nicht aussehe wie eine Gazelle, einfach weil ich lachen muss. Kurz zucke ich zurück, als ich mich im Schneidersitz zum Melone essen niederlasse – aber sobald ich meine Lieben ansehe, fühle ich mich wohl und sicher. Es ist kurios: Sobald ich mich mit einem guten Gefühl, mit Freundschaft, Liebe, Wohlwollen und Lachen ablenke, ist für die negativen Gefühle kein Raum mehr.

Ein kurzer Seitenblick hilft auch, denn, wie soll ich sagen, man liegt da ja nicht ausschließlich zwischen Jennifer Lopez' und Ben Afflecks, im Gegenteil. Und zwischen den Ludolfs und dem Casting für *Schwiegermutter gesucht*, mache ich mich gar nicht sooo schlecht. Ich sehe nicht mehr permanent an mir selbst herunter, sondern auf Melonensaft, der sich auf dem Gesicht des Kindes verteilt, in die blitzenden Augen von L. und höre mir Annes lustige Geschichte aus dem letzten Schamanen-Retreat an.

Als die Sonne schon rot-gold wird, schmiege ich mich an L. und gemeinsam sehen wir Anne zu, wie sie mit dem Kind Steine ins Wasser wirft.

»Wärst du eigentlich manchmal gerne schlanker, größer, muskulöser oder sonst irgendwie anders?«, frage ich L. und er sieht mich von der Seite an: »Hättest du denn gerne, ich wäre schlanker, größer, muskulöser oder sonst irgendwas?«

Ich scanne ihn kurz von oben bis unten, aber nur zum Spaß, denn Nein, ich hätte ihn nicht gerne anders. Ich will ihn genau so, wie er ist. »Dann möchte ich auch gar nicht anders sein«, sagt L.

Als das Kind an diesem Abend erschöpft in seinem Bettchen liegt und ich einen zweiten Nachtisch (Panna Cotta! Mit Sauerkirschsauce!) in mich hineinlöffle, bin ich nicht nur glücklich über diesen schönen Tag, ich habe auch das erste Mal rundum Farbe bekommen, nicht nur am Bauch! Und deswegen landet die mahnende Jeans jetzt mit einem lauten *Olé!* dort, wo der Pfeffer

wächst. Vielleicht trifft sie dort auf Kathrin und ein paar Frauenzeitschriften und sie machen sich gegenseitig Vorwürfe.

AUSSEHEN GENERELL AM ARSCH VORBEI

Das mit dem Aussehen ist eine wirklich knifflige Sache. Ich kann
mich an einen erhellenden Moment erinnern, als ich pubertie-
rend mit meiner Mutter durch die Fußgängerzone schlenderte.
Mitten im schönsten Bummel blieb sie stehen und sah mich plötzlich völlig entgeistert an – sie hatte an diesem schönen Vormittag
in der Fußgängerzone von Regensburg bemerkt, dass die Blicke
der vorbeiflanierenden Männer nicht mehr ihr galten, sondern
mir. Zack! Als hätte jemand mit dem Finger geschnippt.
Ich nahm damals an, sie wäre darüber betrübt, aber im Gegenteil. Nachdem sich die Überraschung gelegt hatte, war sie höchst
erfreut: »Es ist wie eine Last, die von mir abfällt«, hat sie gegrinst.
Damals als Teenager habe ich das nicht verstanden – was soll
befreiend daran sein, wenn man vom anderen Geschlecht nicht
mehr beachtet wird? Das war schließlich das zentrale Thema,
um das sich alles drehte! Und falls ich mal sooo alt werden sollte
wie sie, wäre die Forschung bis dahin ja wohl hoffentlich so weit,
dass man das wenigstens nicht sieht.
Nach einem langen Blick in den Spiegel kann ich Ihnen versi-
chern: Die Forschung ist noch lange nicht so weit. Dafür verstehe ich inzwischen, warum meine Mutter damals so gegrinst hat.
Die Last, die damals in der Fußgängerzone von Regensburg von
ihr abfiel, war eine, die sie sich selbst auferlegt hatte. Auch sie
versuchte, einem Bild von sich zu entsprechen, einem sehr gut

aussehenden Bild, und das ist anstrengend. Mit der Zeit sogar immer anstrengender. Erst, als die Bemühungen umsonst waren, konnte sie davon ablassen und sich entspannt mit einem *Ich bin raus* zurücklehnen.

Ich bin zwar noch nicht ›raus‹, aber die Idee, sich entspannt zurückzulehnen, anstatt Montagmorgen um sieben mit allerlei Hilfsmitteln zu versuchen, blendend auszusehen, ist einfach zu verlockend.

Wir machen uns für andere schön. Immer. Zu behaupten, man mache dieses ganze Eyeliner-Mascara-Concealer-Puder-Theater wegen sich selbst, kann daran liegen, dass man sich in Kampfmontur stärker fühlt, um der Welt zu begegnen. Das ist ohne Frage ein schönes Gefühl, aber es rührt eher daher, dass einem die Meinung der Bäckereifachverkäuferin, der Kollegen, der U-Bahn-Mitfahrer, des Kantinenpersonals, der Kita-Eltern und der Supermarktkassiererin nicht am Arsch vorbeigeht. Deren Meinung das eigene Aussehen betreffend, wohlgemeint. Nicht die eigene Höflichkeit oder Zuverlässigkeit, die Kaufkraft oder die Essmanieren betreffend.

Wer möchte, kann sich natürlich morgens aufbrezeln wie Olivia Jones. Wer aber die Frage: »Geht mir am Arsch vorbei, was die Kollegin Drösel oder Papa-von-Ben über meine Wimpern denkt?« mit »Ja! Absolut!« beantwortet, kann sich die morgendliche Bauernmalerei auch sparen. Man kann sogar einen Kaffee mehr trinken und lange warm duschen, ohne sich in der Hektik beim Rasieren der Beine zu schneiden und ein Blutbad auf dem Badezimmerteppich anzurichten. Es ist sogar noch eine Runde Candy Crush auf dem Sofa drin! Yeah! Klingt das nicht fantastisch?

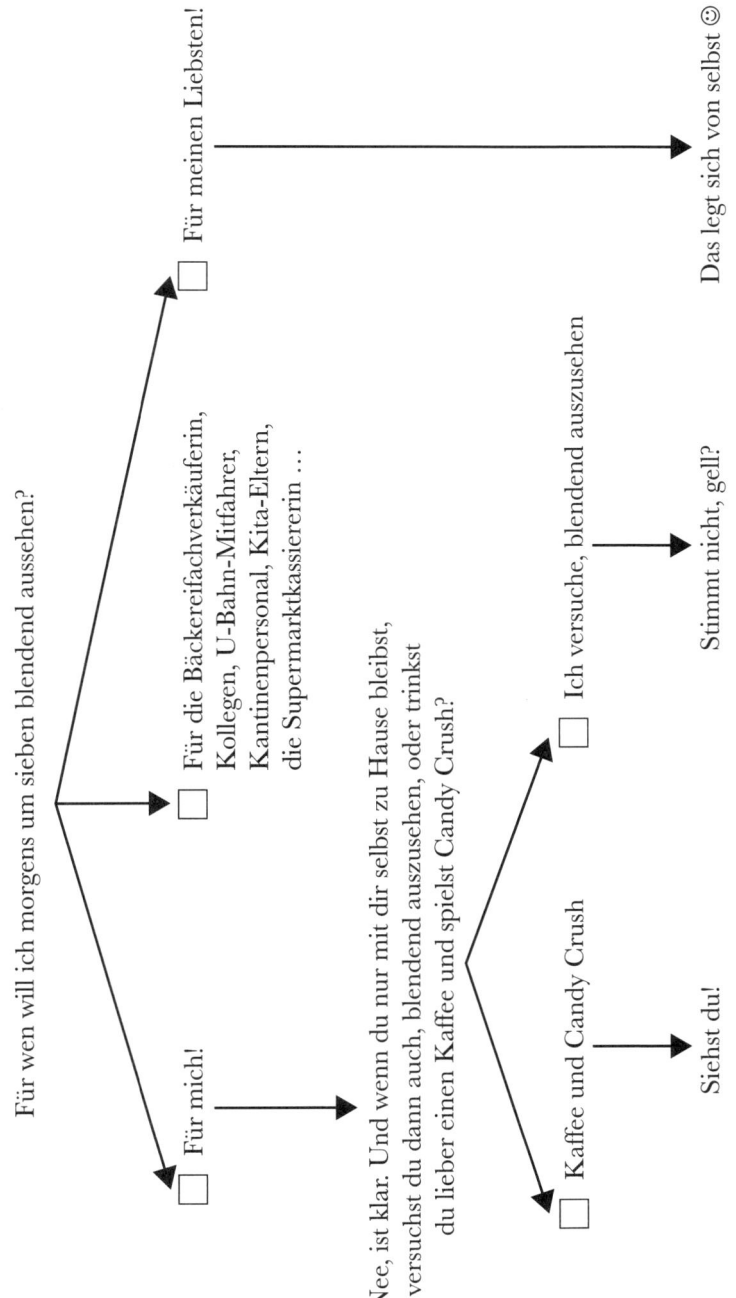

Für wen will ich morgens um sieben blendend aussehen?

Für mich!

Für die Bäckereifachverkäuferin, Kollegen, U-Bahn-Mitfahrer, Kantinenpersonal, Kita-Eltern, die Supermarktkassiererin …

Für meinen Liebsten!

Das legt sich von selbst ☺

Nee, ist klar. Und wenn du nur mit dir selbst zu Hause bleibst, versuchst du dann auch, blendend auszusehen, oder trinkst du lieber einen Kaffee und spielst Candy Crush?

Kaffee und Candy Crush

Ich versuche, blendend auszusehen

Siehst du!

Stimmt nicht, gell?

Als ich am nächsten Sonntagmorgen dann ungekämmt und ungeschminkt, mit Yogahosen, Schlabbershirt und Müllbeutel in der Hand aus der Haustüre trete, komme ich mir fast vor wie Britney Spears in ihren wilden Zeiten. Fehlt nur noch der Paparazzi im Baum. Damit man mich von den Jungs unterscheiden kann, die vor dem Netto Wein aus dem Tetrapak genießen, habe ich mir vorsichtshalber ein schickes Halstuch umgehängt.

Bis ich beim Bäcker angekommen bin, habe ich eine nagelneue Erkenntnis gewonnen: Ganz anders als gedacht fühle ich mich nicht im Geringsten unsicherer, unwohl oder sonst irgendetwas mit un- vornedran. Im Gegenteil: Ich bin diese wahnsinnig gelassene, souveräne, selbstbewusste Grande Dame, die vor lauter Persönlichkeit und Ausstrahlung sowas von gar keine Mascara braucht. Habe ich nicht nötig! Seht mich an! Ich fühle mich drei Meter groß, nur weil ich etwas weggelassen habe! Kurz bevor ich damit beginne, im Bäckerei-Café herumzugehen und mit leicht angewinkeltem Arm im Queen-Style zu grüßen, bin ich dran – und zum ersten Mal besser gelaunt als meine Bäckereifachverkäuferin.

Ich bin gehobener Stimmung, zu Hause erkennen mich noch alle und daher beschließe ich, das nächste Level zu wagen: ohne was in die Agentur. Ich arbeite oft zu Hause, aber eben auch oft in der Agentur. Die Agentur ist eine Werbeagentur und ich weiß nicht, ob Sie schon mal in einer drin waren. Es ist dort alles unheimlich schick, ultramodern und so cool wie möglich. Es gibt Kaffeeautomaten, die so viel kosten wie Kleinwagen (und eine ähnliche Leistung haben), nach Zitronengras duftende Handtüchlein auf der Toilette und überall stehen Schalen mit Obst und winzigen Schokoriegeln. Es ist herrlich, es glitzert und glänzt vor lauter

Chrom und Glas, aber der Spruch »Es sind die inneren Werte, die zählen« ist hier nicht erfunden worden. Das trifft natürlich nicht auf die Belegschaft zu, allerdings versucht sie durchaus, sich äußerlich der Umgebung anzupassen: Alle sind schick, ultramodern und so cool wie möglich. Egal was die Hipster des Landes vor sich, an sich oder mit sich herumtragen: Die Hornbrillen, die Vollbärte, den Undercut und diese beknackten nach hinten lappenden Strickmützen auf Männerköpfen – eigentlich immer, wenn man sich denkt *Soll das so?*, kann man sicher sein, dass es seinen Anfang in einer Werbeagentur genommen hat. Und genau dort werde ich ›ohne alles‹ einlaufen. Man könnte meinen, das trifft sich gut, denn gerade ist der Nude-Look, also der natürliche (eigentlich ›nackte‹ Look) *me-ga*-angesagt. »Nuttenlook?«, fragt L. an diesem Abend und findet das wahnsinnig komisch. »Haha«, kneife ich ihn in die Seite. »Im Ernst, das ist doch perfekt, dann fällt dein neues Experiment gar nicht auf – und ich kann früher ins Bad …«, freut er sich. Aber nur Anfänger denken, *nude* hätte irgendetwas mit ungeschminkt zu tun. Für die Ahnungslosen: Um so auszusehen, als wäre man nicht geschminkt, braucht man: zuerst eine Grundierung, die mit einem Make-up-Pinsel aufgetragen wird – von der Nase Richtung Gesichtsrand arbeitend, wobei man den Haaransatz vorsichtig ausspart. Dann wird ein transparentes, mattes Puder mit einem großen Pinsel aufgetragen, der mit kreisenden Bewegungen über das Gesicht geführt wird. Die natürliche Form der Augenbrauen wird sanft nachgearbeitet, mit einem Brauenpuder oder einem matten Lidschatten mit abgeschrägtem Pinsel und abschließendem Fixiergel. Nach dem Auftragen einer Lidschattenbase wird ein Lidschatten in einem hellen Braunton auf das gesamte bewegliche Lid aufgetragen, danach die Lidfalte mit einem dunkleren Braun akzentuiert. Anschließend wird mit flüssigem Eyeliner ein feiner Lidstrich in Dunkelbraun am oberen Wimpernkranz gezogen. Mit der gleichen Farbe wird der untere Wimpernkranz betont, allerdings sollten hier nur Pinsel und Lidschatten zum Einsatz kommen. Dann nur noch die oberen und unteren Wimpern mit verlängernder oder verdichtender Tusche leicht tuschen, etwas Concealer, einen Ton heller als die Foundation, unter den Augen auftragen, ein möglichst natürliches Rouge auf den Wangenknochen verteilen und für den natürlichen Effekt zum Schluss Lipgloss oder matten Lippenstift auftragen.

L. ist angemessen entgeistert. »Das denkst du dir aus«, hofft er, aber mitnichten, es ist die bittere Wahrheit. Ich hingegen werde den Nude-Look völlig neu interpretieren und mich einfach nicht schminken, allein die Yogahosen werden gegen Jeans eingetauscht.

»Dann aber auch richtig«, findet L. am nächsten Morgen, als ich im Garderobenspiegel noch zwei letzte Blicke auf mich werfen will, bevor ich losgehe. Wir hatten einen schönen, entspannten Morgen, ich habe gemütlich gefrühstückt, das Kind geherzt, mich am offenen Fenster gestreckt, vor mich hingesummt und zwei Level auf Candy Crush geschafft. Ein Spitzenmorgen, verglichen mit den Morgen, an denen ich die meiste Zeit im Bad verbringe, ein Massaker im Kleiderschrank veranstalte und dann schnell ein paar Schlucke Kaffee in mich hineingieße wie Wasser auf einen Waldbrand.

Mit seiner Müslischale in der Hand begleitet mich L. zur Wohnungstür. »Dann gib auch wirklich nichts drauf, wie du aussiehst, und schau nicht in den Spiegel, bevor du gehst.«

Verdammt. L. hat recht. Anstatt mir tatsächlich keinen einzigen Gedanken zum Thema Aussehen zu machen, hatte ich in echt schon wieder ein Bild im Kopf: eines, auf dem ich wie ein Promi durch Los Angeles unterwegs zum Fitnesstraining bin und DOCH erkannt werde. Mit dunkler Sonnenbrille und den Haaren achtlos zum Pferdeschwanz gebunden, aus dem sich dann ebenso dekorativ wie zufällig eine Haarsträhne löst. Das Aussehen war mir überhaupt nicht egal, ich hatte nur die Vorstellung davon ausgetauscht! Gut, gehe ich also, ohne mir vorher ein OK vom Garderobenspiegel abzuholen.

»Du würdest mir doch sagen, wenn ich was zwischen den Zähnen hätte? Oder eine Haarsträhne absteht wie eine Antenne?«

»Klar!«, grinst L., und ich hasse es, wenn ich nicht weiß, ob er blufft.

Auf dem Weg in die Agentur muss ich darauf achten, nicht in den reflektierenden Scheiben der parkenden Autos nachzusehen, ob optisch alles im grünen Bereich ist, es ist fast bekloppt, wie automatisch man einen Blick auf sich wirft. Im Gegensatz zu gestern ist mir heute gar nicht danach, mit leicht angewinkeltem Arm im Queen-Style zu grüßen. Im Gegenteil, ich husche. Die Treppen rauf, den Gang entlang und rein ins Büro. Was ist das für ein blödes Gesetz, dass die Wände in einer Agentur alle aus Glas sein müssen? »Hi«, grüße ich meine Kollegin Eva Drösel und hege den Wunsch, ihr fällt nichts auf. Mit einem »Wie siehst du denn aus?« ihrerseits geht er auch sofort nicht in Erfüllung.

»Was? Muss man denn hier immer aus dem Ei gepellt aufschlagen?«, fahre ich sie an, und ziehe demonstrativ meine etwas-zu-großen-aber-scheißegal-Hosen hoch. »Iwo«, entgegnet da die Drösel vergnügt − für meinen Geschmack etwas zu vergnügt. Sehe ich da gar ein Grinsen?

»Was ist? Sieht es schlimm aus? Sag schon«, bettle ich jetzt und weihe sie in mein neues Experiment *Aussehen am Arsch vorbei* ein. »Also? Wie schlimm ist es?«, frage ich erneut und sie fragt nach: »Ganz ehrlich?«

»Ja!«, nicke ich wie verrückt.

»Ganz ehrlich: Du hast noch nie so schlimm ausgesehen«, fasst die Drösel die Katastrophe kurz zusammen. »Noch nicht mal nach der Weihnachtsfeier 2012«, und das will was heißen. Innerhalb von drei Sekunden bin ich auf der Damentoilette und muss ihr leider recht geben. »Alter Schwede …«, nicke ich meinem Spiegelbild anerkennend zu, denn das ist wirklich außerordentlich. Nicht nur, dass mir die Hose auf halb acht hängt, und zwar nicht auf die lässige Boyfriend-Hosen-Art, sondern auf die assige Netto- und Tetrapak-Art, es ist das Gesamtbild. Komplett, mit Antennen-Haarsträhne auf dem Kopf, die senkrecht nach oben steht. Ich könnte L. erwürgen. »Biep-biep-biep-biep«, lacht die Drösel, die mir auf die Toilette nachgekommen ist, und lässt mit ihrem Finger die Antenne hin und her wippen. »Komm, wir bringen dich in Ordnung«, sagt sie dann und zückt ein Päckchen Abschminktücher, um mir ein Souvenir des Kindes in Form von verschmierten Kakao-Kuss-Resten von der Backe zu wischen.

Während die gute Drösel hilft, wo sie kann, komme ich ins Grübeln: Warum ist die gleiche Aufmachung in der Bäckerei völlig in Ordnung, aber in der Agentur nicht? Wieso ist es mir hier unangenehm, so herumzulaufen? Es ist ja nicht nur der Kakao-Kuss-Rest. – Ist mir wichtiger, was die Kollegen denken als die Bäckereifachverkäuferin? Habe ich keine Scham vor Zimtschnecken? Fühle ich mich weniger kompetent im Netto-Outfit?

Nein, das ist es nicht. Es ist etwas ganz anderes: Alle geben sich hier Mühe, adrett auszusehen. Das ist ein ungeschriebenes Gesetz,

ähnlich wie in der Oper: für den Abend, den Gesang, das Bühnen-
bild und die Inszenierung ist es völlig unerheblich, ob Sie im Abendkleid kommen oder nicht. Das Publikum könnte ebenso gut in Jeans,
im Blaumann oder in Shorts kommen, die Oper wäre aufs Haar die
gleiche. Also warum erscheint das Publikum dann trotzdem im Fest-
tagsgewand? Anzug, Pomade, Abendkleid und glänzende Schuhe,
Klunker und Täschchen. Das gehört irgendwie dazu, oder? Zwar
nicht für die Oper an sich, aber für das Opern-Erlebnis. All das
macht, zusammen mit dem Sekt im Foyer, den Kronleuchtern und
den Unmengen an rotem Samt, den Zauber aus, diese gewisse Heiligkeit, die daran schuld ist, dass man den Opernsaal *betritt*, und
nicht *hinein latscht*. Wenn man da in Jeans einläuft, ist es so, als nähme
man den Leuten, die sich voller Vorfreude in ihre Roben gezwängt
und im Badezimmer eine Hochsteckfrisur gebastelt haben, etwas
weg. Als stelle man ihre Mühen bloß. Das ist das Unangenehme.

Nun ist die Agentur zwar keine Oper, aber auch eine Art Inszenierung, und die Leute, die dort arbeiten, lassen sie jeden
Tag neu aufleben. Wenn ich da im Arsch-vorbei-Look rumlaufe,
komme ich mir doch vor wie der Spielverderber. Der Grinch.
Mir muss mein Aussehen nicht am Arsch vorbeigehen, *müssen* soll
am Arsch vorbei. Nächste Woche ist Klassentreffen – da werde
ich sogar so gut aussehen, dass es meine unglückliche Jugendliebe
von den Socken haut. Ha!

Meine gemütlichen Morgenstunden kann ich trotz Zugeständ-
nisse in Sachen Aussehen dennoch retten, das hat mich allerdings
rund 75 Euro gekostet:

- Chanel Vitalumière Fluide
- Bobbi Brown Long-Wear Eye Pencil

Meine zwei neuen Kumpels sind nicht billig, aber können zaubern: In weniger als fünf Minuten sehe ich blendend aus, wenn ich das will. Und manchmal will ich das nun mal, mach was.

SELBSTVERBESSERUNG AM ARSCH VORBEI

Wenn man mal eingesehen hat, dass es in diesem Leben nichts mehr wird mit der Bikinifigur, kann man ein paar andere Dinge auch gleich einsehen. Ich zum Beispiel werde vermutlich nicht nur für immer ein Bäuchlein mit mir herumtragen, ich werde auch in diesem Leben nicht mehr ordentlich. Ich werde es ferner nie schaffen, die Steuererklärung rechtzeitig zu erledigen oder die Weihnachtsgeschenke beizeiten zu besorgen, und so wie es aussieht, werde ich die Zigarette in späten, alkoholisierten Nächten mit Jana auch nicht los und JA, ICH WEISS, DAS IST GE-SUNDHEITSSCHÄDLICH!

Es gab schon immer eine ebenso unschöne wie lange Liste von Eigenschaften und Verhaltensweisen, an denen ich etwas ändern möchte. Sehr zum Leidwesen von L. schloss das auch einige Eigenschaften und Verhaltensweisen von ihm ein. Allein Hund und Kind waren von meinem Willen zur Verbesserung ausgeschlossen, der Hund aus Gründen renitenter Unbelehrbarkeit und das Kind, weil es bei ihm Erziehung heißt und auf einem anderen Blatt steht.

Ich war mir immer sicher, irgendwann in der Zukunft und wenn ich mich nur genug anstrenge, wäre ich auch so, wie ich es gerne hätte. Ich würde regelmäßig zum Yoga oder zu Pilates gehen, meine Lebensmittel auf dem Markt einkaufen und das

Bücherregal im Arbeitszimmer würde nicht mehr so aussehen, als hätte jemand aus drei Meter Entfernung eine Tonne Bücher dort hinein geschmissen. Vor Weihnachten wäre ich gut gelaunt, ich würde mit dem Kind singen und Plätzchen backen und mir auf Pinterest ansehen, wie man mit selbst gesammelten Tannenzapfen Weihnachtspäckchen verziert. Irgendwann ist das so. Das ist ungefähr zu der gleichen Zeit, wenn L. und ich abends sogenannte ›Quality Time‹ miteinander verbringen, während der er mir rasend romantische Dinge sagt und ich verlegen lache. »Du Schuft, ich bitte dich, wir sind im Restaurant, jemand könnte uns hören!« So würde es sein. Das ist mein eigentliches Leben. Bis dahin wurstle ich mich eben noch so durch. Ich bin im Prinzip die Raupe Nimmersatt: Irgendwann werde ich ein wunderschöner Schmetterling, aber bis dahin esse ich mich noch durch ein Törtchen, einen Apfel, ein Käsebrot …

Das ist die klassische Wenn-dann-Falle. Wenn ich nur erst _____ bin bzw. habe, dann aber! Man sieht dann immer diese Person vor sich, die man sein könnte, wenn man sich nur genug anstrengt, aber man kriegt es nicht so recht hin, obwohl Gesellschaft, Frauenzeitschriften und Ratgeber in Dauerschleife postulieren:

> Wenn du dich nur richtig anstrengst,
> dann kannst du alles schaffen.

Aber das stimmt nicht. Sehen Sie sich doch mal um: alles Raupen.

Und während dieses Raupendaseins haben wir permanent ein schlechtes Gewissen: schon wieder den Nachmittag im Internet verplempert, geraucht, ein 1-Million-Kalorien-Schnittchen gegessen, keine Sit-ups gemacht und die Tannenzapfen – well.

Vielleicht kann ich noch welche bei KiK besorgen. Und dann ist wieder Jahreswechsel, und bei der Bilanz des letzten Jahres bleibt uns Raupen dann gar nichts anderes übrig, als uns schrecklich zu betrinken. Und hat jemand eine Zigarette? Es ist ein Dilemma. Andererseits durfte ich die Erfahrung machen, dass wenn man sich tatsächlich mal aufrafft, um wenigstens im ganz Kleinen diesem Bild von sich selbst zu entsprechen und mit hübschem Weidenkorb am Lenker zum Wochenmarkt radelt, es in der Regel anfängt zu regnen, sich die Hundeleine in den Speichen verfängt, der verfickte Weidekorb kippt und das ganze gesunde Zeug unter einem geparkten Wohnmobil verschwindet. Und selbst wenn sich keine Katastrophe einstellt: Es fühlt sich irgendwie ganz anders an, als man es sich vorgestellt hat. Es hat einfach nichts mit einem selbst zu tun. Mir ging das während des Glücksprojekts so, da habe ich versucht, die ›Kleinen Dinge‹ zu genießen:

»… Wenn ich das höre, denke ich aus dem Stegreif an dieses Foto, das in allen Frauenzeitschriften gezeigt wird, sobald es darum geht, sich selbst etwas Gutes zu tun: eine Badewanne, Teelichter und Rosenblätter auf dem Rand, darin eine Frau mit hochgestecktem Haar, die sich genussvoll im Schaumbad räkelt. Darunter steht dann, in was man baden muss, das ist dann meistens irgendein Lavendel-Aloe-Bio-Kräuterbutter-Öl. Rückfettend und tiefenentspannend. Nachdem ich ja durchaus empfänglich bin für solche Bilder, stehe ich am nächsten Tag in einem hübschen kleinen Laden, in dem sich Fläschchen mit bunten Flüssigkeiten, Salzen und Kugeln in allen Farben tummeln. Ich entscheide mich für eine Gesichtsmaske und ein Ölbad mit Rosenduft, das meine Cellulitis babyweich machen wird, und einen Naturschwamm nehme ich auch noch gleich mit. Wenn ich erst mal in der Wanne sitze, kann ich mir den dekorativ im Nacken ausdrücken. Sogar Rosenblätter besorge ich, es soll genau so werden, wie ich das im Kopf habe.

Am Sonntagabend ist es so weit: Ich habe ein *Date mit mir* selbst, so heißt das unter uns Spa-Spezialisten. Ich lege eine Zeitschrift auf die Ablage, wo auch die Shampooflaschen stehen, verteile Teelichter und Rosenblätter auf dem Badewannenrand und lasse das dampfende Wasser ein. Mit Rosenölbad. Es schäumt leider nicht, dafür riecht es ganz gut. Sehr hübsch sieht das aus. Mit hochgestecktem Haar steige ich in die Wanne, liege ein bisschen herum und fahre mit dem Naturschwamm die Arme und Beine auf und ab. Das macht aber nur kurz Spaß. Ich angle mir die Zeitschrift und fange mit zusammengekniffenen Augen das Blättern an, Teelichter machen ja gar nicht so viel Licht, wie man glaubt. Mit dem Ellbogen stoße ich aus Versehen eins von ihnen auf den Boden, der Badvorleger ist jetzt voller Wachs, dafür hat er wenigstens nicht Feuer gefangen. Erleichtert lege ich mich zurück. Während sich die Haarspange in meinen Hinterkopf bohrt, bemerke ich, wie die Körperteile, die nicht im warmen Wasser liegen, recht zügig erkalten. Unangenehm ist das und ich gebe dem Drang nach, einen Arm ins Wasser zu tauchen. Die nasse Hand befeuchtet sogleich den rechten Teil der Zeitschrift, sodass die sich nicht mehr blättern lässt. Es wird kühler im Wasser. So richtig entspannend finde ich den Event ja nicht bis jetzt, denke ich und schubse ein paar verschrumpelte Rosenblätter ins Wasser. Dann wird es doch noch recht aufregend: Haben Sie jemals versucht, Badeöl aus Ihren Haaren zu kriegen? Da können Sie sich dreimal den Kopf mit Shampoo waschen, es sieht immer noch so aus, als würden Sie am Miss-fettige-Haare-Wettbewerb teilnehmen. Und gewinnen. Wenn Sie dann aus der Wanne steigen und mit Handtuch auf dem Kopf so richtig in Fahrt sind, können Sie gleich weitermachen und versuchen, den Ölfilm, in dem ihre ganzen abrasierten Beinhaarstoppeln kleben, vom Badewannenrand zu entfernen. Und erschrecken Sie nicht über die blutigen Stellen überall an Ihrem Körper: Das sind nur die matschigen Rosenblätter, die an ihrer Haut bippen. So genervt bin ich noch nie aus dem Bad gekommen.«[4]

Es ist zum aus der Haut fahren, aber: Die Alte in der Badewanne bin ich nicht. Ich bin auch nicht die mit den liebevoll verpackten Weihnachtsgeschenken.

Und so ist es auch mit tiefer greifenden Veränderungen, also wenn man jetzt nicht nur baden will, sondern zum Beispiel mehr Erfolg haben möchte, positiver oder vielleicht lieber extrovertiert sein möchte, also irgendwie schwerwiegend – anders. Von diesem Bedürfnis lebt eine ganze Branche und bietet für jede ungeliebte Schwäche einen Wochenendkurs. Wollen Sie zum Beispiel eine faszinierende Persönlichkeit sein? Das kostet 239 Euro und ist in nur einem Wochenende zu bekommen. Mittels »hochwirksamer Methoden«, falls Sie sich auch schon gefragt haben, wie das geht.[5]

Waren Sie schon mal in einem Workshop? In einem Seminar oder Retreat vielleicht? Oder in einem Wochenendintensivkurs? Bei irgendetwas, um sich in irgendeiner Form persönlich weiterzuentwickeln? Ich war schon in vielen, meist zu Recherchezwecken, und nicht immer habe ich erfolgreich abgeschlossen. Ginge es nach der Anzahl der Kurse, die ich besucht habe, müsste ich schon längst positiv denken, stinkreich sein, ich wür-

---

4   Das Glücksprojekt: Wie ich (fast) alles versucht habe, der glücklichste Mensch der Welt zu werden, mvg Verlag, ISBN-13: 978-3868822052
5   http://www.personal-power-coaching.de/SeminarFaszinierendePersonlichkeit.php

de gewaltfrei kommunizieren und meinen Schutzengel hätte ich auch schon persönlich kennengelernt.

Einige dieser Kurse sind nicht auf meinem eigenen Mist gewachsen, wie zum Beispiel die Sache mit den Schutzengeln (Anne) oder das gewaltfreie kommunizieren (L.), aber ich bin immer gerne dabei, allerdings mehr aus Interesse denn aus Not.

Wer jedoch mit dem Gedanken spielt, so einen Kurs zu besuchen, weil er oder sie das Gefühl hat, in der eigenen Seele läge etwas im Argen: Lassen Sie's. Man trifft dort nur lauter traurige Menschen und es wird viel zu viel geweint. Die meisten Teilnehmer gehen regelmäßig zu solchen Events und sind wahre Experten was ihre Lieblings-Fachrichtung angeht. Ich kann falsch liegen, aber würden diese Workshops zum inneren Juhu funktionieren, dann würden die Dauer-Teilnehmer dort deutlich weniger weinen und dafür mehr Salsa tanzen … Aus einer introvertierten, schüchternen Hanni wird auch nach einem Intensiv-Workshop keine Seemannslieder grölende Ina Müller und der Dicke aus der Informatikabteilung wird auch durch einen Profi-Aufreißer-Kurs kein betörender Don Juan. Eine überaus sympathische Schamanin, bei der ich mal einen Kurs zum Thema ›Das innere Krafttier‹ besucht habe (Papagei, nur falls Sie fragen wollten), sagte, bei fast allen Teilnehmern ginge es um mangelndes Selbstwertgefühl. Aber ein mehr oder weniger mangelndes Selbstwertgefühl haben die meisten Menschen. Eigentlich alle, die ich kenne − außer vielleicht Donald Trump und mein Freund Ole.

Welche Schwäche auch immer es sein mag − aller Wahrscheinlichkeit nach bleibt sie uns. Wir werden keine Schmetterlinge. Dieses Dahingewurstle ist das richtige Leben. Dieses vollkommen unperfekte Leben mitsamt seinen Unsicherheiten und vollen

Bücherregalen, den Pfunden und dem müden Sexleben: das wird gerade gelebt, seit einiger Zeit schon und es lässt sich auch nicht aufhalten. *Es lo que hay,* – Das ist es, was es gibt – sagt man in Spanien, als wäre das Leben ein Teller Suppe, den uns jemand auf den Tisch stellt. Umso mehr faszinieren die Geschichten von Leuten, die das Ruder mal so richtig rumgerissen haben und sich trotz eines schrecklichen Schicksalsschlags nicht unterkriegen lassen. Das gibt uns ein bisschen die Hoffnung, dass man tatsächlich *alles schaffen kann, wenn man sich nur richtig anstrengt.* Vermutlich aus diesem Grund heißt es im Zusammenhang mit solchen Geschichten immer, sie würden Mut machen.

Allerdings hat man inzwischen herausgefunden, dass Menschen nach Schicksalsschlägen nach einer gewissen Zeit wieder zu ihrem ›Normallevel‹ an Lebenszufriedenheit zurückkehren – das ist anscheinend in uns angelegt. Das gilt für beide Richtungen: ob Autounfall oder Lottogewinn. Sehen Sie es endlich ein: Sie können nicht alles schaffen, wenn Sie sich nur richtig anstrengen. Aber eben nicht nur Sie nicht, auch sonst niemand.

»You can get it if you really want« versus »You can´t always get what you want« 0:1

Es gibt einfach einen ganzen Haufen Dinge, auf die man so gut wie keinen Einfluss hat. Es gibt Verluste, die werden immer schmerzen. Depressionen sind oft chronisch und unheilbar, manche Menschen haben einen Hang zu ebenso stimulierenden wie ungesunden Drogen oder Partnern. Wir können außerdem weder Familienmitglieder ändern noch unsere Partner und schon gar nicht unseren Chef oder die Arbeitskollegen. Das Leben ist außerdem manchmal ungerecht und auch ziemlich oft ein Arschloch, und auch das wird man nicht ändern. So sehr man sich auch wünscht, dass die eigene Mutter mehr oder der Chef weniger oder man selbst irgendwie ....-er wäre: Es wird nicht passieren. Trotzdem stehen einige dieser unmöglichen Wünsche ganz oben auf unserer Liste der Dinge, die wir hinkriegen wollen. Vielleicht, wenn wir uns mehr anstrengen, mehr in der Vergangenheit wühlen, besser verstehen, warum ... Aber das ist ein Trugschluss.

Sehen Sie es ein, ich musste es auch einsehen: Um L. zu ändern, und damit meine ich nicht, dass er seine Socken in den Wäschekorb wirft anstatt sie rund um das Bett zu verteilen wie einen magischen Sockenzirkel, müsste ich ihn schon am Stirnlappen operieren. Davor schrecke ich zurück.

Im Ernst: Es hilft nichts. Man muss akzeptieren, dass man so ist, wie man ist, und dass die eigenen Möglichkeiten begrenzt sind. Das heißt nicht nur, dass auf meinen Weihnachtsgeschenken keine Tannenzapfen zu finden sind, sondern auch, und das ist die etwas schmerzvollere Einsicht, dass ich nicht die offene, neugierige, lebenslustige und gesellige Person sein werde, die mir sympathisch wäre.

Auch wenn es noch so unangenehm ist, wenn mich jemand fragt, was ich gerne in meiner Freizeit tue, ist:

Ich spiele gerne Tennis und gehe sonntags auch mal segeln mit Freunden, ich helfe ehrenamtlich im Tierheim, besuche den Volkshochschulkurs Italienisch III, bin aber auch gerne mal alleine in meinem hippen Loft und lese dann die Werke der Weltliteratur, anschließend treffe ich mich gerne mit meinen zahlreichen Freunden auf ein veganes Schnittchen! die falsche Antwort. Ich muss sagen:

In meiner Freizeit trage ich gerne Jogginghosen und bleibe zu Hause.

Neue Leute kennenzulernen, interessiert mich nicht besonders, ich finde schon die nervenaufreibend genug, die ich kenne, ich fahre noch nicht mal gerne in den Urlaub. Wie gesagt, ich bin gerne in Jogginghosen zu Hause. Ich bin so, wie ich bin, und an den Grundzügen ändere ich da auch nichts dran – und an den Grundzügen anderer schon gleich dreimal nicht.

Ich kann aber aufhören, mich unter Druck zu setzen oder mich schlecht zu fühlen, weil ich so oder so bin und nicht so, wie ich es gerne hätte. Ich kann mir die Dinge, die ich eh nicht ändern kann, am Arsch vorbeigehen lassen und mich auf das konzentrieren, was ich durchaus kann.

Statt sich zu wünschen, die schwierigen Eltern würden sich ändern, kann man vielleicht lernen, eine friedliche Beziehung zu den schwierigen Eltern zu etablieren. Statt sich permanent schlecht zu fühlen, weil sich das eigene Leben nicht mit Glück und Liebe füllen lässt, wäre ein realistisches Ziel, stolz darauf zu sein, wie man das Leben trotzdem hinbekommt.

Und deswegen habe ich am Tag nach einer lustigen Alkohol- und Zigarettennacht kein schlechtes Gewissen mehr, und ich denke auch nicht: *Herrje, schon WIEDER geraucht, dass ich das einfach nicht lassen kann!*, sondern ich genieße den Abend und bin mit mir einverstanden, dass ich aufpassen werde, dass das nicht ausufert. Statt dem verbreiteten *Ich will mich selbst mehr lieben* lieber:

Ich finde den Einsatz, den ich für mein Wohlergehen erbringe, echt beachtlich!

Wenn man versteht, dass Selbstverbesserung seine Grenzen hat, dann lässt sich lernen, wie man mit diesen Grenzen am besten umgeht. Das ist wesentlich effektiver, als sich permanent vorzuheulen, dass es nicht klappt mit XY. XY am Arsch vorbei.

Mit was es gerne mal nicht klappt und auf was man viel weniger Einfluss hat, als man meint, aber das Gefühl hat, man sollte Einfluss darauf haben:

- Das Einkommen
- Dass man gerne in Jogginghosen zu Hause bleibt
- Dass Mutti sich endlich mal gegen Vati durchsetzt
- Was andere Leute über einen denken bzw. fühlen
- Dass man nicht aufhören kann, XY zu hassen bzw. lieben
- Den Beziehungsstatus
- Dass man introvertiert ist
- Die Kontrolle über das Problem XY
- Dass der Partner ein Workaholic ist
- Dass der Bruder ein Suchtproblem hat
- Die Kinder ...
- _____
- _____
- _____

Kreuzen Sie Zutreffendes an und ergänzen Sie. Dann lehnen Sie sich zusammen mit mir zurück und lassen Sie sich die ganze Selbstverbesserei am Arsch vorbeigehen. Ist das nicht wahnsinnig schön? Diese Idee, dass man gar nichts verbessern muss? Kein Überwinden, kein In-den-Arsch-Treten, keine Erwartungen und kein Ich-muss-da-unbedingt-besser-Werden und Das-muss-ich-Ändern.

Müssen wir nämlich nicht. Es wird schon werden und Raupen sind wunderbare Tiere.

DINGE AM ARSCH VORBEI

Es ist ein befreiendes Gefühl, sich von Vorstellungen zu verabschieden. Von Ideen von sich selbst und von Bildern, die einem als wünschenswert erscheinen – geprägt von dem, was uns die Gesellschaft als Ideal vor die Nase setzt. Ein Ideal zu verfolgen, schafft nur negative Gefühle: Schuld, schlechtes Gewissen, Komplexe, Minderwertigkeit. Ideal am Arsch vorbei, wir wollen positive Gefühle. Wenn Sie noch ein bisschen schüchtern sind, was Ihren eigenen Rundumschlag angeht, fangen Sie vielleicht lieber mit ›Dingen‹ an.

Dinge sind wunderbar, um sie sich am Arsch vorbeigehen zu lassen. Einfach schon deswegen, weil man ihre Gefühle nicht verletzen kann. In der Regel hat man auch jede Menge Dinge. Tante Ida, sie ruhe in Frieden, hat Ihnen eine Fuchsstola vererbt? Der scheußliche Lüster von Swarovski hat mal ein Vermögen gekostet? Haben Sie vielleicht auch noch ein paar linksdrehende, maßgefertigte Schlabronzen im Keller? Herrlich. Dinge sind etwas Wunderbares. Allerdings nur die Dinge, die wir wirklich benutzen oder die wir mit einem guten Gefühl verbinden. Und so sehr man Tante Ida mochte, ihre Fuchsstola mag man vielleicht überhaupt nicht, und wie diese schwarzen Knopfaugen immer gucken – gruselig. Was uns in diesem Kapitel am Arsch vorbeigehen soll, sind mitnichten Tante Ida, die Fuchsstola oder, Gott bewahre, die guten Schlabronzen, sondern lediglich die Gründe, warum wir diese Dinge haben. Kann gut sein, dass dann die eine oder andere Stola oder Schlabronze hinterherfliegt.

Dies sind Gründe, warum man Dinge behalten sollte:

* Wenn man sie sieht, muss man lächeln.
* Man nutzt sie.

Fertig. Sehen Sie sich mit diesen beiden Gründen im Kopf ruhig etwas zu Hause um. – Wer an dieser Stelle einen kritischen Blick auf den Partner wirft: Lassen Sie's. Partner fallen nicht unter *Dinge.* Sie werden erst unter ›Liebe‹ (Seite 161 ff) unter die Lupe genommen. Holen Sie ihn also erst mal wieder rein.

Fällt Ihr Auge auf etwas, bei dem Sie unsicher sind, können Sie auch die Gegenprobe machen. Falls lediglich einer der folgenden Gründe für einen Verbleib spricht, dann hauen Sie das gute Stück raus:

Gründe, warum man Dinge nicht behalten sollte:

* weil sie noch gut sind bzw. funktionieren
* weil sie ein Geschenk waren
* weil man Ererbtes nicht wegwirft
* weil man es vielleicht noch mal brauchen kann
* weil es vielleicht irgendwann mal wieder gefällt
* weil sie mal teuer waren
* weil sie vielleicht mal wieder in Mode kommen
* weil sie in Mode sind
* weil man sich schuldig fühlt, wenn man sie wegwirft
* weil man sie schon immer hatte
* weil eine weggeworfene Schlabronze sieben Jahre Pech bringt

Dies trifft ebenfalls auf den Inhalt von Kleider- und Schuhschrank zu. In der Regel ist es ja so, dass sich vierzig Prozent davon aufteilen in Dinge, die:

a) nicht passen,

b) bestimmt irgendwann mal wieder passen, sobald Sie das mit der Ernährung und dem Sport hinbekommen haben.

Auch damit ist jetzt Schluss.

Wenn man sich an diese Regeln hält, kann es sein, dass der gute Blazer von Max Mara rausfliegt, einem dafür aber die hübsche Lederkorsage sowie das unmögliche Hochzeitskleid von Oma erhalten bleiben – weil man jedes Mal, wenn man die beiden ansieht, an einen sehr, sehr lustigen Abend denken muss, und eventuell hat das damit zu tun, dass L. dabei das Hochzeitskleid trug.

Zu der Rubrik ›Dinge‹ zählen alle möglichen Objekte, aber auch abstrakte Dinge, wie zum Beispiel *Die korrekte Verwendung des Genitivs*, eine Sache, die mir persönlich im Alltag am Arsch vorbeigeht, oder die Einhaltung von Regeln wie *Rotwein zu Fleisch, Weißwein zu Fisch*. Hauptsache es schmeckt, ist meine Prämisse – und der Fisch merkt es ja auch nicht mehr, in was er da schwimmt. Zu der Rubrik ›Dinge‹ zähle ich zum Beispiel auch die amerikanischen Präsidentschaftskandidaten – obwohl die (vermutlich) echte, lebende Personen sind. Sie sind aber etwas, mit dem ich nicht wirklich in Berührung komme.

Hier ist eine kleine Auswahl an nervigen Dingen, die mir so was von am Arsch vorbeigehen können. – Lassen Sie sich ruhig inspirieren. Anschließend haben Sie eine Seite ganz für sich, falls Ihnen eigene Dinge einfallen, die Ihnen von nun an am Arsch vorbeigehen können:

Medienspektakel: Amerikanische Präsidentschaftskandidaten
Ist das nicht ein wahnsinniger Affenzirkus? Gefühlte zwei Jahre im Voraus wird man mit Informationen zu den abstrusesten Präsidentschaftskandidaten der Vereinigten Staaten penetriert! Und ich merke mir den Käse auch noch!

Mir ist völlig schleierhaft, warum in meinem Gehirn Platz verschwendet wird, nur damit ich weiß …: Nicht, wer der Präsident der USA ist, nein, auch nicht, wer es gerne werden möchte und daher für das Amt kandidiert. Nein, ich weiß, welche Hornochsen für das Kandidieren kandidieren! Warum? Und welch anderer Information nimmt so ein Donald Trump beispielsweise den Platz weg? Vielleicht wüsste ich dafür dann den Unterschied zwischen Amphibien und Reptilien! Oder ich könnte mich an meine Kindergärtnerin erinnern!

Sportlich sein
Niemand kann sagen, ich hätte es nicht versucht. Ich habe Volleyball gespielt, gejoggt, ich war im Gym, beim Personal-Trainer und ich habe mich von einem durchtrainierten, jungen Polizisten beim Kampfsport in den Schwitzkasten nehmen lassen – das war gar nicht schlecht. Aber Sport, das musste ich einsehen, ist nichts für mich. Lange genug war mir das unangenehm und ich hatte den Eindruck, JEDER außer mir auf diesem Planeten ertüchtigt sich in irgendeiner Weise körperlich. Einmal so entspannt fröhlich wie die Yogurette-Frauen durch den Park laufen,

das war mein Ziel. Dieses Ziel läuft nun, gemeinsam mit all den schwitzenden Joggern, an meinem Arsch vorbei – während ich lächelnd einen richtigen Schokoriegel esse.

Vollbärte

Im Ernst: Was soll das?

Lernt man einen Mann mit Vollbart kennen, sieht der eventuell ganz gut aus – aber wer garantiert, dass der Mann ohne seinen Bart auch noch gut aussieht? Ein Mann mit Vollbart ist so etwas wie eine Katze im Sack. In einem sehr behaarten Sack. Und eventuell ist die Katze so hässlich wie die Nacht finster. Weiß man halt nicht.

Tapas

Ich habe das Konzept von Tapas nie verstanden. Also ich verstehe, dass es eine großartige Sache ist, wenn man zu einem Bier was Kleines zum Essen dazu bekommt, keine Frage. Was ich nicht verstehe, ist, wenn Freunde sagen:»Hey, lass uns Tapas essen gehen!«

Da sitzt man dann vor ein paar winzigen Tellerchen, auf denen auch noch wirklich wenig drauf ist, und davon will die ganze Mannschaft einmal probieren – am Ende zahlt man dann so viel wie für ein argentinisches Rindersteak, hat aber Hunger.

Alternative Touristenziele

Mir ist völlig unklar, warum es Leute gibt, die unbedingt dort hinfahren wollen, wo keine Touristen sind. Meiner Erfahrung nach gibt es ein paar triftige Gründe dafür, wenn die wo sind. Einen sauberen Strand zum Beispiel, oder eine architektonische Besonderheit. Oder eine schöne Landschaft. Natürlich könnte ich im gleichen Land auch Orte aufsuchen, wo kein Schwabe jemals gewesen ist. Das Industriegebiet etwa oder ein paar wirklich dunkle Gassen in abgelegenen Vierteln. Oder den Teil der Küste, wo das Abwasser ins Meer geleitet wird. Das riecht dann ein bisschen nach Abenteuer. Aber eben nicht sehr gut. Ich habe mich mit diesem Gefühl immer ein bisschen ›uncool‹ gefühlt. Aber: am Arsch vorbei. Ich bin wie ein Schaf: Wo alle hin wollen, da will ich auch hin.

Rosenstolz & Silbermond
Der Unterschied zwischen Rosenstolz & Silbermond und, sagen wir, Helene Fischer. Kann mir den jemand erklären?

2. FREUNDE, BEKANNTE UND UNBEKANNTE

- Unbekannte

- Bekannte

- Freunde

Solange man damit beschäftigt ist, an sich selbst herumzudoktern, und man übt, den eigenen Hintern, das eigene Sparkonto oder das eigene kümmerliche Selbstvertrauen am Arsch vorbeigaloppieren zu lassen, befindet man sich noch auf dem Anfängerlevel. Dieses bereitet uns vor auf die Härteprüfungen, die da kommen. Denn sobald andere Leute mit ins Spiel kommen, befinden wir uns auf Level 2. Im Idealfall sind Sie inzwischen angefixt und haben sich erfolgreich ein paar Dinge am Arsch vorbeigehen lassen. Vielleicht wird bei Ihnen zu Hause nicht mehr gebügelt (Knitterfalten am Arsch vorbei), vielleicht haben Sie aufgehört, diese schrecklich unbequemen BHs zu tragen, die so ein vorteilhaftes Dekolleté zaubern (Dekolleté am Arsch vorbei), und wenn ich Pech habe, haben Sie dieses Buch bereits zur Seite gelegt (Ratgeber am Arsch vorbei). Wenn ich Glück habe, sind Sie bereit für Level 2: die anderen.

Die harmloseste Gruppe der anderen sind die Unbekannten.

UNBEKANNTE

Generell sind Unbekannte natürlich gar kein Problem. Ein Problem werden Unbekannte erst, wenn sie sich in den angeblichen Erbonkel aus Nigeria, den Abo-Verkäufer an Ihrer Haustür oder in den seriösen Umfrageonkel am Telefon verwandeln, der Ihnen auch gleich eine Versicherung andrehen will. Für viele bewundernswerte Menschen stellen diese Unbekannten überhaupt kein Problem dar. Sie servieren die dermaßen souverän ab, dass es eine wahre Pracht ist – sie seien gepriesen und ihr Vorbild erleuchte uns.

Wenn Sie aber auch ein bisschen so sind, dass Sie es gerne allen recht machen wollen und sowohl von Ihrem Chef als auch von Ihrem Arzt und bitte auch von dem unfreundlichen Kellner in der Pizzeria Napoli gemocht werden wollen, dann sind Sie in diesem Kapitel richtig. Wir sind ein liebenswerter Haufen und leider etwas hilflos, wenn es darum geht, uns zu wehren. Egal gegen wen. Wir sind das schwächste Glied in der Kette der Fußgänger und das erkennen die Zeitschriftenabo-Verkäufer, die Spendensammler und die Zeugen Jehovas sofort. Da kann ein Bummel durch die Stadt schon mal zum Spießrutenlauf werden und egal, ob man sich gerade dieses Dingsbums im Schaufenster ansehen wollte: Bevor man jemandem mit Plakat, Umfrageformular oder Spardose in die Arme läuft, legt man lieber das Kinn auf die Brust und marschiert, als müsste man dringend zu einer Operation am offenen Herzen. Da wird ein Bummel plötzlich zur sportlichen Höchstleistung. Die Fußgängerzone von Regensburg zum Beispiel, die schaffe ich in der Vorweihnachtszeit bei hohem Spendensammler-Aufkommen unter vier Minuten.

Doch dann erklären Sie das mal abends zu Hause:

»Hast du mal nach diesem Dingsbums geguckt?«

»Nein, ich – äh, hatte keine Zeit.«

»??«

Aber nicht mal zu Hause ist man sicher: Unsere Wohnungstür scheint eine unsichtbare Aufschrift zu haben! Für das Vertreterauge steht dort in blinkenden Neonbuchstaben geschrieben: »Fragen Sie hier nach Geld für Ihre Stiftung, Organisation, Ihr Schülerprojekt oder was auch immer Sie auf dem Herzen haben! Lassen Sie sich durch ein ›Nein‹ nicht verunsichern! Die kleine Dunkelhaarige gibt Ihnen, was Sie wollen!«

Die Johanniter schicken, glaube ich, ihre Praktikanten erst mal alle zu mir, um denen ein bisschen Selbstvertrauen zu vermitteln. Es hat auch Jahre gedauert, bis die Zeugen Jehovas von Besuchen bei mir abgelassen haben, ich glaube, denen habe ich am Ende leidgetan.

Bei den Telefonverkäufern sieht es nicht besser aus: Ich habe schon so ausführliche Entschuldigungen und Rechtfertigungen angeführt, dass MICH ein Verkäufer von Handyverträgen einfach aufgelegt hat. Beinahe hätte ich dort angerufen, denn das ist doch keine Art!

Aber ist es eben doch. Um mir das einzubläuen – und Ihnen eventuell auch, habe ich mir folgende Fragen gestellt:

1. Bin ich generell gewillt zu spenden?
2. Wenn ja, für was, und in welcher Form möchte ich das tun?
3. Brauche ich vielleicht gerade irgendein Abo? Einen neuen Handyvertrag?
4. Möchte ich Unternehmen durch das Beantworten von Fragen bei ihrem Marketing helfen?

5. Will ich Verträge am Telefon abschließen?
6. Füge ich jemandem persönlichen Schaden zu, wenn ich ihn abweise?

Möglicherweise kommt bei Ihnen nach der Beantwortung ein ganz anderes Resultat heraus als bei mir und Sie stellen fest, dass Sie dringend ein paar neue Abos brauchen oder dass Sie sich gerne von Spendensammlern umgarnen lassen. Wenn aber etwas Ähnliches wie bei mir rauskommt, dann sieht das ungefähr so aus:

1. Ja.
2. Weiß nicht und online.
3. Nein.
4. Unter gar keinen Umständen.
5. Nein!
6. Nein, ich glaube nicht.

Von diesen Einsichten ist es nur noch ein kurzer Weg für die Unbekannten an Ihrem Arsch vorbei:

Schritt 1: Organisation aussuchen, der man spenden möchte
Hier bietet das Deutsche Zentralinstitut für soziale Fragen (www. dzi.de) Hilfestellung, das ist eine Art Verbraucherschutz für willige Spender.

Es gibt auf der Website eine Sucheinstellung (Spenderberatung), in der Sie gegliedert nach Arbeitsbereichen (von Aids bis Völkerverständigung), Ländern (von Afghanistan bis Zypern) und Sitzland (von Baden-Württemberg bis Schleswig-Holstein) die Organisation heraussuchen können, die Ihnen zusagt.

Schritt 2: Spenden
Am leichtesten geht das jährlich zu einem festen Zeitpunkt, zum Beispiel wenn man eh seine Steuererklärung machen muss.

Schritt 3: Allen anderen, die Ihr Geld wollen, nachsehen, dass sie ja nicht wissen können, wie Sie das nun geregelt haben, und es ihnen bei Bedarf erklären ...

... außer dem alten Mann mit dem Hund, der vor dem Supermarkt sitzt.

Das Einzige, mit dem man Ihnen dann noch kommen kann, ist Mitleid. Der arme Student, der das nebenbei macht, erfüllt seine Quote nicht, und der sympathische Abo-Verkäufer im schlecht sitzenden Anzug hat eine blinde Exfrau im Rollstuhl und zwei kranke Mütter – was soll man da schon sagen, ohne als hartherziges Monster dazustehen? Wie wäre es mit: »Eine kleine Frage noch: Falls ich finanziell mal einen kleinen Hänger habe – zum Beispiel weil ich ein paar Abos abgeschlossen habe –, kann ich mich dann an Sie wenden? Also könnte ich Sie vielleicht zu Hause aufsuchen und Ihnen meine persönliche Lage erklären, und wären Sie dann so nett, mir etwas auszuhelfen? Wie, ich darf nicht mal zu Ihnen nach Hause kommen? Sie wollen wohl nicht von Unbekannten zu Hause aufgesucht werden, um sich Geld abknöpfen zu lassen? Schau an! Da geht es Ihnen ja wie mir!«

Sie müssen es nicht mal aussprechen, es ist der Gedanke, der die Haltung ändert. Seit mir klar geworden ist, dass ich die Telekomleute auch nicht zu Hause anrufen darf und dass der Mann mit dem Abo vermutlich entrüstet reagieren würde, stünde ich mit meinen Anliegen vor seiner Türe, werfe ich ebendiese mit einer Verve in die Angeln, dass die Scharniere nur so scheppern.

Und zwar ohne ein klitzekleines schlechtes Gewissen. Schlechtes Gewissen am Arsch vorbei.

(Nur falls Sie auch etwas kurzsichtig sein sollten: Wenn Ihnen während des Türezuwerfens auffällt, dass die Leute vor selbiger extrem klein sind und es gerade Ende Dezember, Anfang Januar ist, kann es sein, dass es sich um Sternsinger handelt ...)

Zu den Unbekannten zähle ich auch unsere Vermieter – die habe ich schon mal gesehen, aber nie kennengelernt. Würden sie unangemeldet vor der Türe stehen, ich würde sie ihnen aus Versehen glatt vor der Nase zuschlagen (wie den armen Sternsingern – ich komme in die Hölle). Die Vermieter haben das Haus, in dem wir wohnen, und noch einige andere Häuser geerbt, was sie mir unsympathisch macht, einfach weil sie Häuser geschenkt bekommen haben und ich nicht. Abgesehen davon zahlen wir ihnen monatlich Geld, was mir auch nicht gefällt. Ich weiß nicht, was die Vermieter mit dem Geld aus ihren Mieteinnahmen machen, ich vermute, sie haben ein kostspieliges Hobby wie Inseln sammeln oder etwas Ähnliches, denn eins ist klar: In die Häuser investieren sie dieses Geld nicht. Zumindest nicht freiwillig. Wenn man aber hartnäckig genug ist (und ich kann weiß Gott hartnäckig sein, wenn es mir auf den Kopf regnet), dann ziehen sie eine Reparaturmaßnahme in Betracht. Nicht ohne zuvor mit drei bis vier verschiedenen Handwerkern an verschiedenen Sonntagen durch unsere Wohnung gestapft zu sein, um dann dem billigsten mit den unversicherten Rumänen den Auftrag zu erteilen. Wie auch immer, ich mag sie nicht, die Vermieter. L. wiederum steht ihnen völlig emotionslos gegenüber und versteht meinen Hass überhaupt nicht, weswegen ich mir noch mehr wie Gollum vorkomme, der seine Wohnungstür gegen die bösen Vermieter verteidigt: »Meiiiiine Wohnung, ksch, ksch, meiiiine!« – Es ist aber ihre, leider.

Das absolut Erstaunliche passiert aber, sobald sich die Vermieter zu einer Besichtigung mit Handwerker anmelden: Dann wird aus Gollum nämlich Meister Proper! Ich räume und putze und feudle, dass es eine wahre Pracht ist – warum? Damit es schön aussieht, wenn die Vermieter kommen! Und warum? Was weiß denn ich, keine Ahnung! Eine Art überlieferter Leibeigenen-Komplex vielleicht?

Als der nächste Vermieterbesuch ansteht (das Heizungsrohr leckt), zwinge ich mich, nicht alle Räume zu kontrollieren, sondern total entspannt mit einem Buch auf dem Sofa zu liegen. (Was gar nicht so gut geht, wenn man sich währenddessen bemühen muss, nicht in alle Ecken und Richtungen zu gucken, ob da irgendwas rumliegt.) »Was die Vermieter von uns denken – am Arsch vorbei«, sage ich noch souverän zu L. und schon klingelt es und sie sind da, die Arschnasen.

Die Bilanz des Besuchs ist eindeutig: Der Punkt ist mitnichten die Befürchtung, dass die Vermieter schlecht von uns denken oder uns gar kündigen könnten, nur weil sie in unserem Schlafzimmer L.'s Socken herumliegen sehen. Der Punkt ist: Die Vermieter sind keine ganz, ganz dicken Freunde und ich will nicht, dass sie L.'s Socken oder sonst eine Wäsche von uns sehen. Ich will noch nicht mal, dass sie unser Schlafzimmer sehen! Deswegen putzt auch meine Mutter immer wie beknackt ihre Wohnung, bevor die Putzfrau kommt. Sie will ihr Intimleben nicht mit jemand Fremdem teilen. Ihr Schmutz, ihre Sache. So ist das bei mir auch: meine Socken, meine Bude, ksch, ksch!

Wenn Sie also mal zu Besuch kommen und es sieht aus wie Sau, dann fühlen Sie sich herzlich willkommen! Sie sind bei Freunden!

Manchmal muss man eben herausfinden, was genau einem am Arsch vorbeigehen kann. In diesem Fall: verkrampftes am Arsch vorbeigehen lassen am Arsch vorbei!

Und nun überlegen Sie: Welche Unbekannte in Ihrem Leben stressen Sie? Was ist der Stressfaktor? Würden Sie demjenigen persönlichen Schaden zufügen, wenn Sie sich den Faktor oder den Unbekannten am Arsch vorbeigehen lassen würden?

Unbekannte, die stressen: _____

Stressfaktor: _____

Kann mir am Arsch vorbei gehen: ☐ Ja   ☐ Nein

Es läuft, es läuft! Nur Mut, mit der Zeit flutscht das immer besser.

BEKANNTE

Unbekannte an Ihrem Arsch vorbeigehen zu lassen, ist in diesem Kapitel noch die einfachste Aufgabe. Schwieriger wird es schon, wenn es sich um *Bekannte* handelt. Hach, Bekannte. Fluch und Segen. Bekannte sind die, die einem immer wieder beim Einkauf im Supermarkt begegnen, bei der montäglichen Yogastunde oder auf Reisen. Bekannte sind der Papa-von-Ben aus dem Kindergarten, eine Nachbarin, eine Mitfahrgelegenheit oder jemand, mit dem man eine Nacht durchtanzt. Das Gute an Bekannten ist: Sie kennen einen nicht so gut wie Freunde. Das ist ein erfrischender Vorteil, zum einen, weil man sich als wesentlich lustiger, reizender, liebenswerter oder verwegener ausgeben kann als man eigentlich ist (oder als Madame Pompadours einzig lebende Nachfahrin, wenn man etwas angetrunken ist). Man kann praktisch ein Kostüm anziehen und mal probieren, wie es wäre, jemand anderes oder zumindest etwas anders zu sein. Das geht bei Freunden nicht, und es ist unterhaltsam, aber der ganz große Vorteil von Bekannten ist ein ganz anderer: Gerade weil sie einen nicht kennen, ist ihre Sicht auf die Dinge ungetrübt und unvoreingenommen. Erzähle ich meiner lieben Freundin Jana zum Beispiel, wie sehr mich der Werbejob nervt, weil der Kunde XY beispielsweise mein Konzept für Hühneraugenpflaster nicht mag, kann sie aufgrund unserer langen Freundschaft aus den Vollen meiner Vergangenheit schöpfen und zählt mir die ganzen positiven Aspekte meines Jobs auf. Sie erinnert mich auch daran, wie oft ich mit einer Idee erfolgreich war. Das ist wunderbar. Von jemandem, der dieses Hintergrundwissen nicht hat, kommen hingegen ganz andere Anregungen, zum Beispiel:

- Und wenn du die Werbung ganz sein lassen würdest?
- Kannst du es eigentlich verantworten, in dieser Branche blablabla …?
- Was ist denn toll an Hühneraugenpflastern?
- Ist Kunde XY ein Depp?

Wenn man manchmal selbst betriebsblind ist und die beste Freundin auch, können Bekannte frische Impulse und Ideen geben, auf die man sonst nicht käme. Dafür muss man nur den Mut aufbringen, auf ein *Wie geht's?* mal etwas ausführlicher zu antworten. Das ist toll, wirklich. So viel zu den ›guten‹ Bekannten. Diejenigen, die wir auf einer Umgehungsstraße an unserem Arsch vorbeilenken wollen, sind die aus der Kategorie 2: schlechte Bekannte.

Sandra zum Beispiel, eine ehemalige Arbeitskollegin, die sich immer meldet, wenn sie etwas braucht. Sandra versteht Photoshop nicht, Sandra braucht einen Babysitter – und einen Hundesitter eigentlich auch, Sandra hat ein paar Fragen zu ihrer Steuererklärung, Sandra will meinen Rat für ihre Webseite und ach ja: Nächsten Samstag würde sie umziehen. Ich käme doch? Oder Stefan, der sich permanent darüber ergeht, wie scheiße alles ist. Gehen Sie da mal entspannt ein Eis essen, wenn Sie hören, wie sauteuer das bisschen Eis ist und wie billig es früher war, vermutlich muss das Eiscafé an die Mafia abdrücken und Berlusconi und, blablabla, wie schlecht Zucker ist, Ernährung generell und dann erst die Schlachthöfe! Da bleibt einem doch das Stracciatella im Hals stecken.

Fehlt noch Mireille, eine Französin mit einem wahnsinnig niedlichen Akzent, die leider ein solch gravierendes Problem hat, dass jede Runde, in der sie erscheint, zu ihrer Bühne der Selbstdarstellung wird. Gegeben wird jedes Mal das Stück: Mireille.

Und da ist der neue Freund von Hanne, in den Hanne so verknallt ist, dass man sie nur noch im Profil sieht, weil sie ihn immer ansehen muss. Er sieht auch wirklich gut aus und er ist charmant … aber wie abwertend er Hanne behandelt, ist nicht auszuhalten.

Ich könnte ewig so weiter erzählen, es gibt einen scheinbar unendlich großen Pool an Arschlöchern, und so wie es aussieht, kommen die alle irgendwann in meinem Leben vorbei. In Ihrem auch? Das ist ja ein Zufall …

Ich weiß nicht, wie Sie das handhaben, aber meine Strategie zum Umgang mit Bekannten dieser Kategorie besteht bis jetzt aus so effektiven Techniken wie:

	Mach ich auch:
Nicht ans Telefon gehen	☐
Wenn L. ans Telefon geht, mit einer Hand so heftig vor meinem Gesicht herumwedeln, dass ein kühler Luftzug entsteht	☐
Ausreden erfinden	☐
Versuchen, mich an die Ausreden vom letzten Mal zu erinnern	☐
Auf der Straße so tun, als wäre ich *blind/tot*	☐
Wenn jemand an der Tür klingelt, kein Geräusch machen und abwarten, es sei denn, es ist der Pizzamann	☐

Haben Sie mindestens zwei Häkchen gemacht? Herzlichen Glückwunsch, Sie sind genauso beknackt wie ich. Warum man den ganzen Aufwand überhaupt betreibt, anstatt *Nein* zu Sandras Hilferufen zu sagen, oder sich von Stefan nicht das Stracciatella-Eis vermiesen zu lassen? Der Experte sagt: wegen eines geringen Selbstwertgefühls. Ich sage, wegen UNANGENEHM! Vermutlich haben die Experten recht.

Was die ganzen Sandras, Stefans, Mireilles und der Freund von Hanne gemeinsam haben, ist ihre unschöne Wirkung. Man fühlt sich in ihrer Gegenwart genervt bis unwohl, und das strengt an. Würden sie alle mit einem großen ›Plopp‹ von einem auf den anderen Tag aus meinem Leben verschwinden, ich wäre nicht traurig, vielleicht ginge ich sogar zur Feier des Tages ein Eis essen. Umso seltsamer ist es doch, dass man sie nicht selber mit einem großen ›Plopp‹ aus dem eigenen Leben streicht. Im Gegenteil:

Während Stefan noch über die Abgründe der italienischen Politik und daraufhin über Politiker im Allgemeinen wettert, nicke ich auch noch in regelmäßigen Abständen wie ein Schaf und höre mir den ganzen Blödsinn an. Danach setze ich mich dann ›mal kurz‹ an die Webseite von Sandra, und heute Abend kommt wer vermutlich mit ins Café Einstein? Genau, Mireille, die doofe Nuss.

»Warum mache ich das?«, frage ich L. an diesem Abend, während ich vor meinem Schreibtisch sitze und am Computer auf Sandras Webseite starre. »Weil du ein Feigling bist, Schatz!«, tönt es aus der Küche zurück, dem Ort, an dem L. gerade mit dem Kind kocht, wo ein Glas Rotwein steht und wo ich jetzt viel lieber wäre. »Mami Feiging!«, lacht das Kind hinterher und dann giggeln sie ein bisschen herum.

Irgendetwas läuft hier komplett falsch.

Der Hang, anderen gefallen zu wollen, ist angeblich ganz normal. Das hängt damit zusammen, dass man ein Herdentier ist und schon im Kindesalter begreift: Ich brauche die anderen, besser, ich verscherze es mir nicht mit denen. Vor zehntausend Jahren zum Beispiel war es lebenswichtig, Teil eines Stammes zu sein. Um Säbelzahntigern zu trotzen und Mammuts zu erlegen, ist eine Gruppe nötig, das geht nicht alleine. Insofern war es äußerst sinnvoll, es sich mit den anderen nicht zu verscherzen, denn der Ausstoß aus dem Stamm bedeutete den Tod. Dieser Mechanismus greift heute noch, trotz Tiefkühlpizza und obwohl wir das mit den Säbelzahntigern recht gut im Griff haben. Es ist in uns drin, Teil einer Gemeinschaft sein zu wollen, und das ist gut, denn damit ist einigermaßen sichergestellt, dass man kein Psychopath wird.

Wenn ich es mir aber so recht überlege, hat mir Sandra noch nie geholfen, ein Mammut zu erlegen, und im Angesicht eines Säbelzahntigers, sollte einer auftauchen, wüsste ich nicht, was Stefan machen würde: ihn in eine Depression labern? Nein, die Realität und mein Verhalten sind wie der Ex und ich: Sie passen einfach nicht zueinander.

Es ist auch vollkommen absurd: Das Ziel meines Verhaltens, sagt der Experte, ist ja ein Gefallen-Wollen, Liebe und Respekt, lauter solche Dinge. Wenn ich mich aber so umsehe, finde ich eher diejenigen Menschen knorke, die kein Blatt vor den Mund nehmen und sagen und tun, was sie für richtig halten, auch auf die Gefahr hin, dass sie jemand doof findet. Der Experte hat dann auch gleich einen Spruch parat, der mir in den kommenden Situationen Mut machen soll:

> Einem Löwen ist egal,
> was die Schafe über ihn denken!

Der Löwe sitzt allerdings immer noch vor Sandras Webseite und wird immer mürrischer. Ich schlendere in die Küche hinüber und da sitzt das Kind auf der Anrichte und strahlt mich an, einen großen Holzlöffel in der Hand und Tomatenspritzer im Gesicht. »Na?«, lächelt L., der davor steht, und streckt einen Arm nach mir aus. »Hast du das Ding fertig?«

Hab ich nicht. Das Ding ist eine lieblos zusammengestümperte Gratis-Webseite, unübersichtlich, scheußlich und mit Rechtschreibfehlern garniert. Ich weiß gar nicht, wo ich da überhaupt anfangen soll.

»Ich weiß gar nicht, wo ich anfangen soll«, jammere ich L. an und lege meinen Kopf an seine Schulter. »Mami traurig?«, fragt das Kind besorgt und legt mir mitfühlend sein Händchen zum Trösten auf den Arm. Das bringt irgendein Fass in mir zum Überlaufen. – Ist es so, dass mein Kind mich trösten will, weil ich es nicht auf die Reihe bringe, irgendwelchen Bekannten abzusagen? Bin ich eigentlich noch ganz dicht? Ich küsse Kind und Mann und schnappe mir mein Glas Rotwein. »Ich bin ein Löwe!«, verkünde ich meinen Lieben und verschwinde Richtung Telefon. »Grooaaaar«, höre ich die beiden hinter mir und muss lächeln. Während des Wählens mache ich dann selbst »Grooaaaar« und atme noch mal tief durch.

»Ja?«

»Hallo Sandra! Hey, ich wollte dir sagen, das mit deiner Webseite, also ich hab mir das angesehen … ganz ehrlich – das ist mir zu viel.«

»Wie zu viel?«

»Na zu viel Arbeit.«

»Ja und was soll ich jetzt machen?«

»Ja, keine Ahnung – was machst du denn jetzt?«

Wenn Leute so scheiße reagieren, dann ist es plötzlich viel leichter, sie zum Teufel zu schicken. Unser Telefonat ist dann auch recht schnell beendet und plötzlich sitze ich nicht mehr am Schreibtisch und ärgere mich, sondern bin bei Mann und Kind in der Küche, decke den Tisch und wir machen Löwen nach. Fühle ich mich ein bisschen schlecht dabei? Ein bisschen schon. Aber nach eingehender Prüfung der Fakten und dem Ergebnis, dass alles genau so seine Richtigkeit hat, mache ich einen kleinen Hüftschwung zur Seite und lasse das schlechte Gewissen *Olé!* geschmeidig an meinem Allerwertesten vorbeigaloppieren. Stundenlanges Arbeiten statt Löwe spielen mit dem Kind – ich hätte dieses Projekt schon viel früher starten sollen.

»Ich habe es einfach nicht eingesehen, dass irgendjemand dem Kleinen, dir, uns meine Zeit und meine Energie wegnimmt«, erzähle ich L., als wir schon im Bett liegen.

So ganz zufrieden bin ich allerdings nicht. »Es hat euch zwei gebraucht, damit ich mich überwinden konnte. Ich sollte das doch für mich selbst machen«, finde ich, aber da gähnt L. herzhaft und blinzelt mich an: »Das Wie und Warum ist doch egal. Hauptsache, es funzt, oder?«

Und da hat er recht. Hauptsache, es funzt.

Ich bin mir sicher, ein Expertenrat wäre mit dieser Aussage nicht hundertprozentig einverstanden. Es ist nicht die ›richtige‹ Lösung, ich hab geschummelt. Schließlich geht es darum, mein Selbstwertgefühl in Ordnung zu bringen und – Hoppla! Wo ist denn das Expertenteam plötzlich? Ich glaube, das ist gerade volle Kanne an meinem Arsch vorbeigerannt. Und dann schlafe ich ganz hervorragend ein.

Am nächsten Abend im Café Einstein kommt es ganz dicke: Meine liebe Freundin Anne kann nicht kommen und Jana ist zwar pünktlich um acht da, muss aber keine halbe Stunde später wieder nach Hause, weil sie richtig schlimm erkältet ist. Wen sie leider nicht mitnimmt, ist Mireille. Die steht dann bestens gelaunt neben mir, nuckelt an ihrem Drink und sieht, während sie redet, immer ein paar Zentimeter an mir vorbei. Als ich mich umsehe, ist hinter mir nur die Türe – sie will wohl einfach wissen, wer da so reinkommt. Hin und wieder wirft sie auch einen Blick in den großen Spiegel hinter dem Tresen und zupft sich Strähnen abwechselnd ins und aus dem Gesicht. Man kommt sich wie ein menschliches Accessoire vor, wenn das jemand macht.

»Hu-Huuuu!«, ruft es plötzlich von einem Tisch in einer Ecke und da winkt Hanne mit ihrem George-Clooney-Verschnitt am Arm. Dieser Abend wird immer besser. Fehlt nur noch Sandra, die alte Hupe. Statt nun freundlich, aber bestimmt den Rückzug anzutreten, trottle ich brav an Hannes Tisch und stelle dem Paar Mireille vor. »Setzt euch doch!«, strahlt Hanne. »Oh, ich wollte eigentlich gerade gehen ...«, versuche ich mich noch aus der Affäre zu ziehen, aber Mireille legt ihre Hand auf meinen Arm.

Hanne sagt: »Das kommt gar nicht infrage«, mein Drink ist auch noch zur Hälfte voll und schon sitze ich da und schüttle innerlich den Kopf über mich. Was dann geschieht, ist interessant: Mireille läuft zur Höchstform auf. Es sieht aus, als hätte ihr jemand eine Mischung aus Kokain und Red Bull direkt ins Herz (oder besser gesagt ins Hirn) injiziert: Sie wirft permanent ihren Kopf in den Nacken und lacht schallend laut, wenn Hannes Freund etwas sagt, sie schüttelt ihr Haar mal auf die eine, mal auf die andere Seite und leckt sich nach jedem Schluck aus ihrem Glas einmal mit der Zunge über die Lippen. Es ist ganz klar: Mireille ist auf der Balz. Das ist für Außenstehende unschön anzusehen, aber es zeigt Wirkung: George Clooney sitzt plötzlich aufrechter, er spricht lauter und, ich könnte mich täuschen, aber ich meine, er ist ein kleines Stückchen von Hanne abgerückt. Deren Sensoren wiederum haben schon längst angeschlagen, sie versucht, gegen Mireille anzuflattern, redet viel und laut und fuchtelt mit den Armen in der Luft herum, aber sie ist machtlos. Hier bahnt sich eine Katastrophe an, zumindest für Hanne.

Als mir wieder einmal Mireilles Haare ins Gesicht fliegen, stelle ich außerdem fest, dass ich selbst ganz nervös werde – und das nicht wegen George Clooney. Es ist eher ein Automatismus, der immer dann einsetzt, wenn sich irgendwo eine zwischenmenschliche Missstimmung anbahnt. So etwas ist mir so unangenehm, dass ich sofort alles unternehme, um Frieden und Harmonie wieder herzustellen. In diesem Fall müsste ich Mireille k. o. schlagen. Da dies aber aus verschiedenen, unter anderem strafrechtlichen Gründen unmöglich ist, bin ich zum Zusehen verdammt.

Die große Überraschung an diesem Moment ist: Es ist vollkommen schnuppe, ob ich nervös auf meinem Stuhl wippe, mich innerlich winde und vor Fremdscham ein Magengeschwür bekomme – oder ob ich mich zurücklehne und ruhig abwarte, bis der Spuk vorbei ist. Mein Leiden hilft Hanne nicht im Mindesten, mir nicht, und auch sonst niemandem. Ich bin außerdem nicht für die Katastrophe verantwortlich, nicht für Hanne und schon gar nicht für Mireille, weswegen ich mich auch nicht dafür entschuldigen brauche, sie überhaupt vorgestellt zu haben. Alle sind schon groß und können bereits alleine spielen. Uh! Schon wieder so ein herrlich befreiendes Gefühl und diesmal ganz überraschend!

Ich bin nicht verantwortlich.

Es fühlt sich so gut an, dass ich es noch ein paar Mal vor mich hin denke.

Leid tut mir Hanne trotzdem, es ist ein Gemetzel. Mireille macht keine Gefangenen. Nach zwanzig Minuten ist das neue Traumpaar verabredet, wobei Hanne ›natürlich‹ auch mit eingeladen ist. Ja nee, ist klar.

Als Mireille aufbricht und George Clooney so freundlich ist, sie nach Hause zu fahren, mache ich daher das Einzige, was ich wirklich tun kann: Ich nehme Hanne in den Arm und bestelle Schnaps.

Sich für andere verantwortlich zu fühlen, erreicht ein besonderes Level, wenn es sich um unsere Freunde handelt. Hach, Freunde.

FREUNDE

Freundschaft ist ein besonderes Phänomen. Wie Liebe, nur *anders* … Ein altes Sprichwort sagt:

> Einmal fragte die Liebe die Freundschaft:
> »Warum gibt es dich, wenn es mich schon gibt?«
> Darauf antwortete die Freundschaft:
> »Um dorthin ein Lächeln zu bringen,
> wo du Tränen hinterlässt.«

Das stimmt. Es gibt einen ganz signifikanten Unterschied zwischen Liebe und Freundschaft.

Ein weiser Mann hat mal gesagt, man kann sich auch mit neunzig noch Hals über Kopf verlieben, Freundschaft aber ist ein menschliches Glück, das Zeit braucht. Man muss miteinander verdammt viele Scheffel Salz gegessen haben, man muss Erfahrungen gemacht haben, man muss sich auch mal gestritten haben, man muss ein bisschen aneinander gelitten haben, man muss voneinander gelernt haben.[6]

Freunde sind wichtiger für das Glück als die Liebe und wichtiger für die Gesundheit als Bewegung. Diese ein, zwei, drei Menschen, denen man alles sagen kann und auf die man sich blind verlassen kann. Die, die nichts anderes von uns wollen, als uns

---

6 Joachim Kaiser, ein großer Gelehrter der Geisteswissenschaften

glücklich zu sehen. Das sind nicht viele. Es gibt zwar noch jede Menge Leute, die sich in der Nähe dieses Status' tummeln wie Teenager um eine Dorfbushaltestelle – aber wirkliche Freunde hat man nicht viele im Leben. Nicht *solche* Freunde. Die, die man in der Früh um vier vom Wohnort des Exfreundes aus anrufen kann, um zu sagen: »Bitte komm und hol mich!« und zwar auch dann, wenn sich dieser Wohnort in einem anderen Land befindet. Und die dann nicht fragen: »Aus Costa Rica? Bist du irre?«, sondern: »Wo genau in Costa Rica?«

Ich tue mich beim Zählen meiner Freunde ziemlich leicht, denn mein Freundeskreis ist sehr klein. Das klingt ein bisschen assi, ist aber so. (Man könnte eventuell noch L. dazu rechnen, denn wir haben weiß Gott schon miteinander gestritten.)

Eine meiner zwei Freundinnen haben Sie vor ein paar Seiten kennengelernt, ich kenne sie, seit ich fünf Jahre alt bin: Anne. Meine Freundin mit dem Eso-Fimmel. Würde ich Anne heute kennenlernen – ich würde sie nicht zweimal treffen. Mir geht die Eso-Nummer bei allen anderen Leuten außer bei Anne wahnsinnig auf die Nerven. Warum bei ihr nicht?

Vielleicht, weil ich das Gefühl habe, ihr Innerstes zu kennen. Der Mensch, der sie ist, ihre Natur. Und die ist wunderbar – da kann sie noch so viele energiegeladene Pullis drüberziehen, ich werde durch sie hindurch immer Anne sehen und nicht die Eso-Tante. Ist das das Besondere an alten Freundschaften? Dass man die Menschen kennengelernt hat, bevor sie sich eine Verkleidung überwerfen und von ihnen selbst nichts mehr zu erkennen ist? Bevor sie anfangen, anderen etwas vorzumachen, das sie dann mit der Zeit selbst glauben und sich dadurch verlieren?

Meine andere Freundin ist Jana. Jana lernte ich während des Studiums kennen, sie fiel mir gleich am ersten Tag auf, sie trug nämlich ein T-Shirt mit der Aufschrift *Andere Länder, andere Titten.* Wir verstanden uns auf Anhieb.

Während der Jahre kamen immer mal wieder neue Freunde hinzu, aber sie gingen auch wieder. Wie durch eine Eingangs- und Ausgangstür. Geblieben ist Jana. Ich bin mir sicher, dass es da draußen noch mehr Menschen gibt, mit denen ich befreundet sein könnte. Vielleicht ist es die Trägheit, die einen daran hindert, neue Menschen zu entdecken. Schließlich bedeuten Freunde auch Aufwand. – Ich habe manchmal das Gefühl, ich bin mit Jana und Anne schon ziemlich ausgelastet was meine freundschaftlichen Kapazitäten angeht. Für die beiden, genauso wie für L. und natürlich das Kind, fühle ich mich verantwortlich. Geht es ihnen schlecht, geht es mir schlecht. Ich würde jederzeit losfahren, um sie von wo auch immer abzuholen, auch wenn es das Ende der Welt wäre. Das ist so ungefähr das Gegenteil von am Arsch vorbei.

Darum ist es auch eine meiner Lieben, die mir ein wichtiges Stück über das Helfen beibringt. Helfen an sich ist nämlich eine wunderbare Sache, besonders wenn es selbstlos und mit hehrem Ziel daherkommt, aber was gut gemeint ist, ist nicht immer gut gemacht, und die beste Absicht kehrt sich nicht selten in ihr Gegenteil. Geschichtlich ist das recht eindrucksvoll belegt, durch Missionare, Armeen und die Entwicklung von Opiaten, die den Leuten reihenweise zum Tod verhelfen.

Den Drang, jemandem, der leidet, helfen zu wollen, kennt vermutlich jeder. Steht einem dieser Jemand sehr nahe, umso mehr. Dass Hilfe aber nicht immer auch hilfreich ist, lernt man erst, wenn man damit nicht weiterkommt. Mir ging das so bei Anne, die hat nämlich Depressionen.

Helfersyndrom am Arsch vorbei

Als Anne mir erzählte, dass es wohl nicht nur traurige Verstimmungen sind, die sie plagen, sondern eine echte, ausgewachsene Depression, war ich die Erste, die sich die Hemdsärmel hochkrempelte, in die Hände klatschte und rief:»Also los, worauf warten wir? Rücken wir der Kackdepression zu Leibe!« Das, stellte sich heraus, war nicht exakt die Hilfe, die Anne von mir brauchte. Man macht sich im Allgemeinen im Vorfeld keine Gedanken über das *Wie*, man hilft einfach drauflos. Das ist nicht immer eine gute Idee. Je mehr ich versuchte, Annes Stimmung zu heben, desto schuldiger fühlte sich Anne, dass gerade das nicht funktionierte, desto schuldiger fühlte ich mich, dass ich es nicht hinbekam, desto schlimmer für Anne, und schon befanden wir uns in einem Teufelskreis aus Schuld und Schmerz, was niemandem weiterhalf. Bis zu diesem Zeitpunkt hatte ich viel Energie, viel Zeit (und viel von L.'s Zeit) sowie jede Menge Alkohol reingesteckt, aber es ging Anne nicht besser, es ging allen nur schlechter. – Eine miese Bilanz für einen Helfer.

Noch schlimmer wurde es, als sich Jana einschaltete, die besorgt mitverfolgte, wie es mir ging, und sich sodann bemüßigt fühlte, wiederum mir zu helfen – es war das reine Chaos. Bis mir schließlich ein sehr schlauer Mensch einer Profi-Beratungsstelle die glorreiche Frage stellte:»Meinen Sie denn, Sie könnten mit den Gefühlen Ihrer Freundin besser umgehen als jemand anderes? Ihre Freundin eingeschlossen?« Good point.

Als ich die Verantwortung für Anne und ihre Depression wieder abgab, wendete sich prompt die Lage. Von diesem Moment an konnte ich nämlich Annes Umgang mit dieser wirklich beschissenen Krankheit bemerken, bewundern und ihr das auch sagen, und das half Anne dann tatsächlich, denn sie konnte stolz auf sich sein. Anstatt mir wie eine Versagerin vorzukommen, weil ich sie nicht glücklicher machen konnte oder unfähig war, das richtige Mittel zu finden, freuten wir uns gemeinsam über kleine Siege und schöne Momente, die wir der schwierigen Zeit abtrotzen konnten. Und es hat mir eine neue Seite von Anne gezeigt, der ich höchsten Respekt zolle. Wer einen Freund mit Depressionen hat oder mit einem Suchtproblem, eine Mama mit Demenz oder eine ähnliche Katastrophe dieses Ausmaßes, dem hilft vielleicht eine Briefvorlage, die der Psychiater Michael Bennett und seine Tochter Sarah Bennett in ihrem Buch *Fuck Feelings* veröffentlich haben:

Liebe/r/s (*Selbst / Familienmitglied / ärmstes Mockerle der Welt*), ich kann niemanden, den ich mag, (*leiden / weinen / abkacken / in Leid ertrinken*) sehen, ohne zu denken, dass es immer einen Weg gibt und dass ich ihn finden muss, indem ich (*mich mehr anstrenge / nach Lourdes pilgere / Geld für einen Psychoanalytiker auftreibe*), aber ich weiß, dass das nicht stimmt. Ich werde versuchen, Dein Leid, wenn möglich, zu lindern, indem ich (*für Dich da bin / eine bunte Afro-Perücke trage / mehrfach furze*), aber wenn das nichts bringt, heißt das nicht, dass Du oder ich versagt haben. Ich werde Dich dafür bewundern, dass Du es schaffst, weiterhin (*zu duschen / den Müll runterzubringen / einen neuen Tag in Angriff zu nehmen*).[7]

Nervige Eigenheiten von Freunden

Meistens jedoch (und Gott sei Dank) besteht das Problem bei Freunden nicht darin, dass sie an einer gravierenden psychischen

---

7   Frei übersetzt nach: Michael Bennett, Sarah Bennett, F*ck Feelings: One Shrink's Practical Advice for Managing All Life's Impossible Problems, Simon & Schuster Verlag, ISBN-13: 978-1476789996

Erkrankung leiden, sondern darin, dass sie einem tierisch auf die Nerven gehen. Also nicht sie selbst, aber einige der Dinge, die sie tun. So ist das eben, kein Mensch ist durch und durch hinreißend, da bildet man selbst, verwunderlicherweise, keine Ausnahme. Ich gehe meinen Lieben zum Beispiel unsäglich damit auf den Keks, wenn ich versuche, ausschließlich mithilfe von Filmzitaten zu kommunizieren. Das Problem dabei ist: Nur ich kenne die Filme, auf die ich mich beziehe, und nur für mich ist das wahnsinnig komisch. Aber da müssen sie durch, die Lieben, und ich bin immerhin noch nicht so schlimm wie L., der aus unerfindlichen Gründen immer anfängt, Schwyzerdütsch zu sprechen, wenn er betrunken ist – zumindest das, was er sich unter Schwyzerdütsch vorstellt, er kann es nämlich nicht. Wenn ich in eine Kneipe nachkomme und er schmettert mir ein »Grüezi Schätzli!« entgegen, weiß ich schon Bescheid.

Derlei Spleens tun niemandem weh und sind unter »liebenswerte Eigenheiten« abzuheften. Freunde sind nämlich nicht perfekt, und wo kämen wir hin, wenn wir nicht bei uns und anderen permanent fünf gerade sein ließen? Darf man daher von Freunden genervt sein? Klar! Man selbst nervt sie ja auch (siehe Beispiel *In-Filmzitaten-Kommunizieren*).

Anne zum Beispiel hat besagten Eso-Fimmel, außerdem will sie uns Gutes tun, was zur Folge hat, dass in unserer Wohnung immer mal wieder *Dinge* auftauchen. Zum Beispiel Untersetzer mit einem hübschen geometrischen Muster, das ›Blume des Lebens‹ heißt und harmonisierend wirkt. Oder ein Glasröhrchen mit Steinchen drin, das unser Trinkwasser vitalisiert (und ein hervorragendes Kinderspielzeug abgibt), sowie eine durchsichtige Pyramide und verschiedene, ausgesucht scheußliche Schutzengelchen. Damit nervt Anne, und wenn Sie jetzt vielleicht sagen, das sei doch süß von ihr, dann haben Sie die Schutzengelfigürchen noch nicht gesehen.

Jana hingegen hat eine Superkraft, die ich Tunnelblick nenne: Hat sie einmal ihr Urteil über etwas oder jemanden gefällt, ist es ihr möglich, sämtliche widersprüchlichen Fakten oder Geschehnisse auszublenden. Das kann anstrengen.

Die Gründe, warum Freunde nerven, sind so unterschiedlich wie die Menschen selbst. Mit was nerven Sie so ihre Freunde? Singen Sie ihnen gerne vor, wenn Sie einen in der Krone haben? Machen Sie während einer Unterhaltung ständig Wortwitze? Schmücken Sie Ihre Geschichten etwas zu sehr aus? Halten Sie Ihre »liebenswerten Eigenheiten« ruhig mal fest:

- _____
- _____
- _____
- _____

Sehr schön. Machen Sie sich nichts draus, wir sind alle kein Jackpot.

Wo aber ist nun der Unterschied zwischen einer ›liebenswerten Eigenheit‹ und einer unerträglichen Schrulle? Eine Möglichkeit zur Einteilung ist die Auswirkung auf andere Leute. Nervt mich etwas an meinem Gegenüber so sehr, dass ich mit den Augen rollen muss, oder nervt es in einer Weise, die meine Zeit und meine Energie in Anspruch nimmt? Ein Augenrollen ist ganz klar drin in einer Freundschaft, das muss sie aushalten, und in einer guten kann das der andere auch durchaus sehen, damit muss er leben. Schutzengel-Untersetzer-Vitalisierung gegen Augenrollen, ein fairer Deal. Schwierig wird es erst, wenn man beim Poetry-Slam in Unterbröckelaurach sitzt. Also in dem Moment, in dem man Zeit oder Energie für etwas opfert, das einem eigentlich am Arsch vorbeigeht – und das, obwohl man gerade wirklich etwas anderes zu tun hätte, auch wenn es sich dabei um Ein-Nickerchen-Halten handelt. An dieser Stelle und bevor ich Ihnen ein paar ganz wunderbare Aktivitäten von Freunden aufzähle, die ich erfolgreich gegen Nickerchen eingetauscht habe, sei gesagt:

Ich helfe natürlich meinen Lieben sofort, wenn sie sich in einer Notlage befinden (siehe Costa Rica). Egal was es in der speziellen Notlage braucht, können sie von mir haben, keine Frage. Meine Zeit, mein Ohr, meine Niere, Geld oder ein wasserdichtes Alibi. Kein Problem. Was ich aber aussortiert habe, sind Dinge, die mir persönlich egal sind und bei denen meine Abwesenheit keine Katastrophe für andere darstellt, die mir also ohne Weiteres am Arsch vorbeigehen können – vorausgesetzt, ich schicke sie da lang. Wie zum Beispiel Toms Poetry-Slam.

Oder auch:

Bandauftritte

Da muss man nach dem Schulalter irgendwann den Absprung schaffen. So ist es durchaus selbstverständlich, dass während der Schulzeit Jens, Ole und Gurke in einer Band spielten und regelmäßig mit selbst gemalten Flyern zum Konzert in die nächste Turnhalle luden. Ebenso selbstverständlich war, dass man dort erschien und möglichst laut klatschte, auch wenn man meistens nicht sicher war, ob das eine Stück schon aufgehört oder das andere Stück schon angefangen hatte. Aber das war okay, wir hatten ja sonst nichts zu tun – kein Facebook, kein Twitter, kein

Candy Crush. Und auch keine Arbeit, kein Kind, keinen Haushalt und kein Bedürfnis, ein Nickerchen zwischendurch zu machen. Das hat sich, weiß Gott, geändert. (Besonders das mit dem Nickerchen.) Aus diesen Gründen, und weil Jens, Ole und Gurke inzwischen Zahnarzt, Landschaftsgärtner und Paartherapeut geworden sind (statt international gefeierte Rockstars), und sich das mit dem Stücke-Unterscheiden nicht grundlegend geändert hat, also deswegen möchte ich nicht mehr in Turnhallen stehen. Und weil es dort schlecht riecht. Man verstehe mich nicht falsch, ich will Jens, Ole und Gurke auch nicht im Opernhaus oder in einem privaten Wohnzimmer lauschen. Die Location ist hier nicht das Problem, das Problem ist das Lauschen. Eine Möglichkeit, dem Dilemma aus dem Weg zu gehen, ist, eine permanente Beschäftigung vorzutäuschen. Das kann man so lange durchziehen, bis man ein Kind hat, dann muss man das gar nicht mehr vortäuschen. Einer der Vorteile von Kindern. Wenn man aber den Vorsatz hat, sich die unwichtigen Dinge im Leben am Arsch vorbeigehen zu lassen, dann bleibt es nicht aus, dass man diesen Satz sagt:

»Ich (*bügle / schlafe / geißle mich*) lieber, als auf ein Konzert von euch zu kommen. Ihr seid zwar reizend und ich liebe euch, aber eure Musik ist (*mittel / nicht mein Geschmack / unter aller Kanone*). Freunde?«

Umzüge

Auch so ein Relikt aus der Vergangenheit. Ich glaube, während meiner Zwanziger war jedes Wochenende ein Umzug. Dabei haben so gut wie alle WG-Besetzungen insgesamt alle einmal reihum die WG gewechselt, meist aufgrund von internen Meinungsverschiedenheiten bezüglich der Kühlschrankfächer, Sexualpartner oder Spül- und Putz-Zuständigkeit. Das waren dann Umzüge, die man mit einem alten VW-Bus bewerkstelligen konnte, jeder trug eine Kiste, eine Pflanze und ein Bambustischchen von oben nach unten und in der neuen Wohnung wieder nach oben und danach leerte man eine Kiste Bier im neuen Zuhause.

Freunde und Bekannte jedoch, die die 30 inzwischen deutlich überschritten haben und immer noch fragen, ob man bitte zu ihrem Umzug am Wochenende kommt, haben entweder an ihrem WG-Lebensstil weiter nichts geändert (was nie der Fall ist) oder nicht präsent, dass sich ihr Lebensstil inzwischen geändert hat (was immer der Fall ist). Anstatt einer Umzugskiste, einer Yucca-Palme und einem Bambustischchen sehen sich Helfer dann dem kompletten Inhalt einer 80-Quadratmeter-Altbauwohnung gegenüber. Dritter Stock ohne Aufzug und die Waschmaschine muss auch mit, ist klar. Wer konfliktscheu ist, kann hier natürlich auf irgendeine Form eines Rückenleidens zurückgreifen, ab Mitte 30 nimmt einem das auch jeder ab, aber der goldene Weg am Arsch vorbei geht in etwa da lang:

»Ich (*döse / arbeite / epiliere mich*) lieber, als zu eurem Umzug zu kommen. Ihr seid zwar reizend und ich liebe euch, aber mir ist das zu anstrengend. Ich brauche mein Wochenende, um mich etwas zu erholen, ihr könnt aber nach dem Umzug gern zu Bier und Lasagne kommen. Freunde?«

Projekte
Projekte ist vielleicht zu ungenau, besser gesagt handelt es sich um *Projekte-bei-denen-man-helfen-Soll*. Jedem von uns liegt irgendetwas besonders am Herzen und natürlich fragt man im Freundes- und Bekanntenkreis nach Unterstützung. Einige tolle Aktionen sind so geboren worden. Fragt Sie jemand, ob Sie mitmachen beim

Krötensammeln und Sie finden die Aktion und die Kröten spitze – nichts wie auf zum Eimer. Wenn Sie schon immer Webseiten für Ihre Freunde programmieren wollten, weil die mal wieder eine gute Idee haben für eine Secondhand-Mütter-Café-offene-Bühne-Bäckerei mit Tiervermittlung: nur zu. Es ist Ihre Zeit. Gehen Sie mit Tierheim-Hunden spazieren oder töpfern Sie für Bulimiekranke, Hauptsache, es schlägt Ihr Herz dafür. Wenn es das aber nicht tut und Sie Ihre tierliebe oder bulimische Freundin nicht verletzen wollen:

»Liebe/r …, ich liebe dich wirklich sehr, aber ich (*bügle / schlafe / geißle mich*) lieber, als (*Kröten zu sammeln / zu töpfern*). Ich habe ein schlechtes Gewissen und befürchte, du magst mich nicht mehr, aber ich kann (*Kröten / töpfern*) nicht leiden. Freunde?«

Freizeitaktivitäten

Es gibt jede Menge tolle Freizeitaktivitäten. Die meisten davon lehne ich ab (siehe Jogginghose und zu Hause bleiben).

Wenn Freunde einen von einer Aktivität überzeugen wollen (Wir gehen klettern, das wird toll!), gehen sie oft irrtümlicherweise davon aus, dass man nur nicht weiß, wie viel Spaß die Aktivität macht, und fühlen sich dann bemüßigt, dies so eindringlich wie möglich zu schildern. Nachdem ich aber ganz schlecht vermitteln kann, wie viel Spaß mir die Jogginghosen-Sofa-Aktivität bereitet, erhebe ich meine Ablehnung einfach zum Prinzip.

»Ich klettere nicht. Prinzipiell nicht.« Das vermeidet Diskussionen.

Sortieren Sie ein bisschen bei sich aus, es hat einen tollen Effekt: Sie bekommen nämlich im Gegenzug mehr Zeit für all das, was

Ihnen wirklich wichtig ist. Als Hilfe können Sie sich im Zweifelsfall folgende Fragen stellen:

- Basiert meine Entscheidung auf dem diffusen Gefühl, mein Freund / meine Freundin mag mich nicht mehr, wenn ich (*den Kröten / dem Töpfern / dem Poetry-Slam*) nichts abgewinne?

  ☐ Ja ☐ Nein

- Basiert meine Entscheidung auf dem diffusen Gefühl, mein Freund / meine Freundin könnte meinen, ich mag ihn/ sie nicht mehr, wenn ich (*den Kröten / dem Töpfern/ dem Poetry-Slam*) nichts abgewinne?

  ☐ Ja ☐ Nein

- Gehe ich von einem Tauschhandel der Gefallen aus? Gehe ich mit zu (*den Kröten / dem Töpfern / dem Poetry-Slam*), muss er/ sie auch mit mir zum Zumba gehen, obwohl er/ sie es hasst?

  ☐ Ja ☐ Nein

- Habe ich das Gefühl, das gehört einfach zu einer Freundschaft dazu? So wie es in dem berühmten (leicht abgewandelten) Gedicht »Die Bürgschaft« über Freundschaft steht:

  >»Ich sei, gewährt mir die Bitte,
  >beim Krötensammeln die Dritte.«

☐ Ja ☐ Nein

Ist Ihre Antwort in einem Fall *Ja*, dann nichts wie am Arsch vorbei damit.

3. FAMILIE

Familie ist so etwas wie die Kür in Sachen Arsch-Vorbei: das Profi-Level. Kein Wunder, schließlich wird uns von klein an eingebläut, dass Blut dicker als Wasser wäre und dass man den Nazi-Onkel, den keiner leiden kann, trotzdem zur Familienfeier einladen muss. Doch im Laufe des Älterwerdens zeigt sich: Man muss den Nazi-Onkel überhaupt nicht einladen. Es passiert nichts, außer dass selbiger sich vielleicht die Haare rauft, man weiß es nicht. Er ist ja (Gott sei Dank) nicht da.

Meist sind die Dinge aber wesentlich komplizierter und subtiler. Die wenigsten Familienmitglieder sind schließlich böse Nazi-

Onkel, sondern durchaus liebenswerte Schnuffel, allerdings mit einigen Angewohnheiten, Eigenheiten oder Verhaltensweisen, die einen in Rekordtempo auf die Palme bringen. Je dicker die Bande, desto schneller auf der Palme, ist hier die Faustregel. Dabei ist das auslösende Moment für Außenstehende oftmals völlig unersichtlich. Während man selbst schon von ganz oben auf der Palme herunterwinkt, sind sich alle anderen anwesenden Personen einig: »Wieso? Deine *Mutter / Tante / Schwester* ist doch total nett?« Und wenn man dann mit Schaum vor dem Mund und mit der Stimme von Gollum *Nicht nett, nicht nett!* herauspresst, muss man aufpassen, dass man nicht für verschroben gehalten wird. An Familienmitgliedern hängt eben auch immer dieser ganze Rattenschwanz hinten dran, der aus allem besteht, was das Familienmitglied bis zu diesem Datum gesagt, getan oder nicht getan hat – das lädt emotional auf.

Weil die Gefühle gegenüber der Familie so kompliziert sind, ist es wichtig, sich klarzumachen, ob man sich nur an einer Eigenart stört, oder ob ein akuter Fall von Arsch-Vorbei ansteht.

Ein Beispiel für eine Eigenart eines Familienmitglieds (meiner Mutter), die jemanden (mich) zur Weißglut bringt:[8]
Es gibt da eine Sache an meiner Mutter, die macht mich fertig und raubt mir den letzten Nerv. Die ist so schlimm, dass ich Gänsehaut bekomme, während ich Ihnen davon erzähle. Es ist die Hölle: Sie summt.

Pah!, werden Sie da sagen, das ist noch gar nichts, aber denken Sie nur daran, was Sie in den Wahnsinn treibt. Ich bin sicher, da gibt es auch die eine oder andere Kleinigkeit, bei der alle anderen *Pah!* sagen würden. Meine summt eben. Hm-hm-hm-hmhm.

---

8   Aus: Alexandra Reinwarth: Das »Sinn des Lebens«-Projekt: Wie ich auszog, um die großen Fragen des Lebens zu beantworten, mvg Verlag, ISBN-13: 978-3868822915

Hm. Es ist kein sehr melodisches Summen, auch wenn es durchaus Melodien sind, die sie da summt, und das ist das nächste Problem: Die Liedauswahl ist unter aller Kanone. Da hören Sie im Hochsommer ›Süßer die Glocken nie klingen‹ und im direkten Anschluss ein Medley aus der Zauberflöte und Eros Ramazottis größten Hits! Oder *Carglass repariert, Carglass tauscht aus* hatten wir auch schon. Eigentlich ganz lustig, nicht? Finde ich auch – was mich an der Summerei so fertig macht, ist etwas ganz anderes. Nämlich, WANN sie summt. Die Mutter summt immer dann, wenn sie nichts entgegnen möchte, aber anderer Meinung ist. Das geht in etwa so:

Mama: »Du solltest die Teller vorspülen, dann werden sie sauberer.«
Ich: »Ist gar nicht nötig bei unserer Spülmaschine.«
Mama: »Hm-hm-hm-hmhm …«
Ich: Hass.

oder:

Mama: »Der Uli Hoeneß sieht ja schon aus wie ein Steuerhinterzieher.«
Ich: »Das sieht man doch jemandem nicht an, ob er Steuern zahlt oder nicht!«
Mama: »Hm-hm-hm-hmhm …«
Ich: Hass.

So sehen Meinungsverschiedenheiten mit meiner Mutter aus. Dabei ist es völlig egal, um was es inhaltlich geht. Meine Mutter summt auf politische Aussagen ebenso wie auf persönlichen Klamottengeschmack:

Mama:	»Willst du DAS auf die Hochzeit anziehen?«
Ich:	»Warum? Ist doch schön!«
Mama:	»Hm-hm-hm-hmhm …«

Die Summerei ist auch ihre Strategie, wenn eine unangenehme Stille herrscht, zum Beispiel weil man sich in ihrer Anwesenheit mit jemandem in die Wolle bekommt. Oder man peinlich berührt schweigt. Gehen Sie ruhig einmal mit meiner Mutter einkaufen und bringen die Verkäuferin in Verlegenheit, das dauert keine drei Sekunden und schon ertönt ›Für Elise‹ an ihrer Seite. Gesummt.

Das, was mich an dem Gesumme in den Wahnsinn treibt, ist natürlich nicht die Liedauswahl, sondern das, wofür es steht: sich vor einer Auseinandersetzung drücken, sogar davor, einfach nur die eigene Meinung zu sagen – aber gleichzeitig durch das Gesumme darauf hinzuweisen, dass man nicht einverstanden ist.

Es ist ein Auswuchs einer grundlegenden Sache, die ich überhaupt nicht verstehe: Die Mutter vermeidet es wie der Teufel, Entscheidungen zu treffen. Egal, um was es sich dabei handelt. Das hat zur Folge, dass sie nie an etwas schuld ist, was nicht funktioniert, nicht schmeckt oder nicht möglich ist, und es gibt ihr die Möglichkeit, es danach immer besser gewusst zu haben. Ganz typischer Satz: *Man hätte es eben doch besser so und so machen sollen.* Es ist zum aus der Haut fahren.

Ich boykottiere die Mutter-Strategie der Entscheidungsverweigerung schon seit Jahren, indem ich beharrlich bleibe.

| Ich: | »Soll ich uns was kochen oder würdest du gerne zum Italiener?« |
| Mama: | »Was würdest du denn gerne?« |

Ich:	»Nein, ich will ja wissen was DU gerne möchtest.«
Mama:	»*Willst* du denn kochen? Mir ist es egal!«
Ich:	»Sag einfach, was dir lieber ist.«
Mama:	»Zum Italiener ist auch toll – aber wir können auch gerne kochen.«

So etwas kann dann schon mal dauern.

In diesem Fall handelt es sich um eine nervige Eigenheit meiner Mutter. Soll sie mir deswegen am Arsch vorbeigehen? Himmel Nein! Kann ich etwas tun, dass mir das Gesumme am Arsch vorbeigeht? Definitiv nicht! Aber ich kann mit ihr reden und sie fragen und verstehen, warum sie sich in ihrem Leben so schwer damit tut, Entscheidungen zu treffen. Hört das Summen dann auf? Nein. Aber es nervt vielleicht etwas weniger.

Die meisten Eigenheiten unserer Lieben können wir nicht ändern, man kann sich auch nicht selbst dahingehend ändern, dass sie einem nicht mehr auf den Senkel gehen. Familienmitglieder nerven nun mal, wer das akzeptiert, muss vielleicht nicht mehr ganz auf die Palme hoch.

Was man aber ändern kann, sind Verhaltensweisen, die einen selbst betreffen. Zum Beispiel die Interviews von Tante Marta.

DIE INTERVIEWS VON TANTE MARTA

Solange ich denken kann – und bevor ich mit L. zusammen war –, hat mich meine Tante Marta während jedem Familientreffen getriezt. Spätestens wenn sie vom Kaffee zum Likör wechselte, wechselte sie auch das Thema, um ihr Interview zu führen. Der Übergang war dabei unter Umständen recht holprig:»Wirklich schlimme Bilder habe die gezeigt aus dem Bürgerkrieg, ... – sag mal«, sagte sie dann und wendete sich mit ihrem Likörchen zu mir, als wäre ihr bei dem Wort ›Bürgerkrieg‹ gerade meine Ex-Beziehung eingefallen:»Hast du eigentlich wieder einen Freund?« Woraufhin die ganze Bagage die Köpfe drehte und interessiert-mitleidig in meine Richtung blickte.

Es war auch völlig egal, was ich darauf antwortete, die Situation wurde nicht besser. Sagte ich *Ja*, kam umgehend eine Befragung:

- Wie heißt er? (Das fragte *der* Onkel, um einen eventuellen Migrationshintergrund auszuschließen.)
- Was macht er? (Verdient er eigenes Geld oder musst du den auch aushalten so wie den letzten Trottel?)
- Wie alt ist er? (Zum Abschätzen der Heiratswahrscheinlichkeit)
- Und das Schlimmste: Wann bringst du ihn denn mal mit? (... damit wir die Angaben überprüfen können.)

War die Antwort hingegen *Nein, kein Freund*, machte das nichts besser, denn dann konnte ich mir eine fundierte Analyse anhören, warum das so ist und wie ich an diesem Zustand etwas ändern könnte. Im Zuge dessen wurde dann allgemein über mein Outfit, meine Frisur, mein Selbstbewusstsein, mein Alter, meine Kochkünste und meine Fruchtbarkeit diskutiert.

In diesem Fall handelte es sich um eine Strategie meiner Tante Marta. Ist das eine Verhaltensweise, die nervt? Aber Hallo. Ist das eine Verhaltensweise, die einen selbst betrifft? Betreffender geht es ja kaum. Man muss allerdings nicht gleich durchdrehen und mit einem »Tante Marta am Arsch vorbei!« die Veranstaltung stürmen. Tante Marta hat ihre guten Seiten, ebenso wie der Rest der Familie (bis auf *den* Onkel).

Wie gebietet man ihr also Einhalt – ohne Tante Marta auf den Schlips zu treten und dann für immer als ›die Mimose‹ zu gelten? Mit Freundlichkeit! Mit Freundlichkeit können Sie sich die ganzen Themen am Arsch vorbeigehen lassen, die Ihnen ein innerliches Augenrollen bereiten. Niemand wird Ihnen böse sein (falls das ein Umstand ist, der Ihnen nicht am Arsch vorbeigeht), wenn Sie freundlich sind:

Tante Marta: »Hast du eigentlich wieder einen Freund?«

Antwort: »Ach Tante Marta, reden wir nicht über mein Liebesleben – wie war denn dein Kreta-Urlaub, das interessiert mich viel mehr!«

Wenn dann noch jemand nachbohren sollte, bleibt Ihnen immer noch der Besuch der Sanitäreinrichtungen. Spätestens wenn Sie vom Klo zurückkommen, ist die Verwandtschaft schon wieder bei ihrem nächsten Lieblingsthema: Wie Omi damals dachte, sie hätte einen Tumor, dabei war sie schwanger – oder welche Kalauer in Ihrer Familie eben jedes Mal ausgepackt werden.

Es ist überhaupt nicht nötig, grob zu werden – wie in der legendären Geschichte mit der Frau, deren Familie bei Hochzeiten immer raunte: »Du bist die Nächste!«, was angeblich erst aufhörte, als sie bei Beerdigungen das Gleiche machte.

DIE SCHWIEGERMUTTER

Man hat aber meist nicht nur die eigene, wunderbare Familie, nein, zusätzlich zu einem Lebensgefährten bekommt man gleich noch dessen Familie für umsonst mit dazu! Und obwohl man sich den Lebensgefährten glücklicherweise selbst aussuchen kann, trifft dies auf die Familie des Auserwählten nicht zu. Da kann man Glück haben, sich super verstehen (und eventuell sogar irgendwann feststellen, dass man nach einer Trennung die Ex-Familie fast mehr vermisst als den Ex), es kann aber auch so mittel bis gar nicht laufen. Zwischen wem es besonders oft mittel bis gar nicht läuft, ist zwischen der Freundin und der Mutter des Freundes. Also zum Beispiel zwischen mir und L.'s Mutter. Sie ist die Einzige, die den Facebook Beziehungsstatus »Es ist kompliziert« wirklich verdient hat. Denn so sehr ich mir auch wünsche, dass sie mich mag, und so sehr sie sich wünscht, mich zu mögen, kommen wir um eine Sache nicht herum: Ich habe ihr den Sohn gestohlen und das wird sie mir nie verzeihen.

Dass ich eventuell nicht ihre Traumschwiegertochter bin, hat sich schon zart bei unserem ersten Kennenlernen angedeutet. Das fand in einem Restaurant statt, und nachdem wir uns etwas beschnuppert hatten und zwischen Vor- und Hauptspeise freundlich Konversation betrieben, verschwand meine Schwiegermutter in spe auf die Toilette und kotzte sich dort die Seele aus dem Leib.

Vieles hat sich seitdem geändert. Wir haben uns besser kennengelernt, L. und ich haben ein Kind bekommen, und meine Schwiegermutter übergibt sich auch nicht mehr, wenn sie mich sieht. Allerdings hat sich auch keine übermäßig große Liebe entwickelt, die Schwiegermutter und ich sind zu verschieden. Trotzdem betreibe ich jedes Mal, wenn sie einen Besuch ankündigt, einen Riesenaufwand – vermutlich in der ganz kleinen Hoffnung, dass sie mich doch noch in ihr Herz schließt:

- Ich entsorge die vertrockneten Pflanzen, damit sie nicht denkt, dass ich ihren Sohn und ihren Enkel auch verdursten lasse.
- Ich räume die Wohnung auf und putze das Bad.
- Ich überziehe das Bett mit dem Mutter-Bettwäsche-Geschenk von letztem Weihnachten.
- Ich täusche Koch-Kompetenzen vor, indem ich kleine Töpfchen mit frischen Kräutern in der Küche aufstelle.
- Ich besorge einen guten Kuchen aus der besten Konditorei.
- Ich nehme die Fotos von der letzten Motto-Party, in der ich als besoffenes Bienchen am Tisch eingeschlafen bin, von der Pinnwand und tausche sie gegen ein paar Familienfotos aus.
- Ich hole die Makramee-Ampel aus dem Keller, die sie uns vererbt hat.
- Ich sorge dafür, dass L. meine Bemühungen nicht durch Sprüche wie:»Wieso ist es hier so sauber?«,»Was macht das Grünzeug in der Küche?« oder»Wo kommt der geklöppelte Scheiß her?« zunichte macht.
- Ich stelle Sekt kalt, den ich heimlich in der Küche trinken kann, wenn es schlecht läuft. Wenn es gut läuft, kann ich ihn kredenzen.

Wenn sie dann da ist, bemühe ich mich, etwas zum Gespräch beizutragen, auch wenn es um Dinge geht, von denen ich keine Ahnung habe und die mich nicht interessieren (Frauenzeitschriften, Shoppen, Bekannte der Mutter und deren gesundheitliche Probleme).

Merken Sie was? Wenn in meinem Leben jemals etwas ganz dringend an meinem Arsch vorbeirumpeln sollte, dann ist es das Der-Schwiegermutter-gefallen-Wollen. »Was hältst du davon?«, frage ich L., der bis heute gerne und oft die Geschichte vom Kennenlernen zwischen der Schwiegermutter und mir erzählt. L. zuckt mit den Schultern, »Was willst du denn konkret tun?« Aber die Schwierigkeit ist eine ganz andere: nämlich jede Menge Dinge *nicht* zu tun.

Als sich meine Schwiegermutter das nächste Mal ankündigt, tue ich alles aus der oben stehenden Liste nicht. Mit Ausnahme der Flasche Sekt – man weiß ja nie. Außerdem geht mir Verkrampft-nicht-Aufräumen inzwischen am Arsch vorbei und ich räume das Nötigste (diese ewigen Socken auf dem Schlafzimmerboden) aus dem Blickfeld.

Kein Putzen, die Makramee-Ampel bleibt im Keller, das Suff-Bild an der Pinnwand und Kuchen habe ich auch nicht. Dafür habe ich viel vor: ihr nichts vorzumachen.

Als sie kommt, versucht das Kind, sie wie immer sofort in Beschlag zu nehmen. Ich versuche *nicht*, das Kind nach einiger Zeit mit etwas anderem abzulenken, damit Oma verschnaufen kann. Stattdessen räume ich die Spülmaschine aus (und wieder ein), beantworte Mails und mache Kaffee. Bis alle Kinderbücher vorgeführt sind, sind die beiden beschäftigt und in Gedanken gebe ich Bobo Siebenschläfer (eine Buchfigur, total angesagt bei Zweijährigen) ein High-five. Oma hält viel länger durch, als ich dachte, und als das Vorderteil der Oma auf Knien in das Spielzelt des Kindes krabbelt und nur noch die hintere Hälfte rausguckt, muss ich doch etwas grinsen. Es sieht zu niedlich aus.

Als sie schließlich selbst eine Pause einlegt, sieht sie etwas zerzaust, aber sehr froh aus, sie setzt sich zu mir an den Küchentisch und ich schenke ihr Kaffee ein. Dass nicht frisch geputzt ist und die Makramee-Ampel fehlt, scheint sie nicht zu bemerken. Was sie zu meinem Leidwesen sofort bemerkt, ist das besoffene Bienchen auf dem Foto an der Pinnwand. Sie deutet drauf und sieht mich fragend an:»Was ist das?«

Kennen Sie diese Momente, in denen man viel lieber sagen würde: *Das ist eine flüchtige Bekannte* anstatt: *Das bin ich als besoffenes Bienchen?* Das war so ein Moment. Der verrutschte Fühler über meinem Gesicht hätte es zugelassen, ich wäre damit durchgekommen.

»Der-Schwiegermutter-gefallen-Wollen am Arsch vorbei«, sage ich mir innerlich vor und kredenze ihr die Wahrheit. Erst sagt sie nichts, dann beugt sie sich vor und sieht sich das Foto noch mal von ganz nahe an.»Was ist das auf deinem Gesicht? Sind das Strumpfhosen?«

Jetzt muss ich auch genauer hinsehen,»Das sind Fühler. Ich habe sie aus Seidenstrümpfen gemacht, in die ich so längliche Luftballons gesteckt habe, aber sie haben nicht gut gehalten.«

»Ah«, sagt sie und nippt an ihrem Kaffee. Das ist alles – sie zieht nicht mal die Augenbrauen nach oben. Dann fällt ihr in der Küche doch etwas auf:»Waren hier nicht immer so Pflanzen?«, fragt sie und sieht sich um.»Ja«, nicke ich,»aber die habe ich weggeschmissen.«Jetzt hebt sie doch die Augenbrauen.»Mir gehen die immer kaputt«, erkläre ich ihr,»außerdem sind es nie die Kräuter, die L. zum Kochen braucht, die bringt er vom Einkauf dann immer frisch mit.«

»Du kochst wohl nicht so oft?«, fragt sie und schon wieder verspüre ich den nahezu unwiderstehlichen Drang zu lügen.

»Nein«, presse ich dann aber doch hervor und mache mich auf eine peinliche Wir-tun-so-als-wäre-nichts-gewesen-Stille gefasst. Stattdessen lacht die Oma: »Das verstehe ich, ich habe es auch immer gehasst! Backen tue ich gerne, aber kochen? Grauenhaft!« – Jetzt habe ich gute Lust mich vorzubeugen und sie noch mal ganz von Nahem anzusehen. Sie, die treusorgende Hausfrau und Mutter, deren Krautbraten das Beste ist, was ich jemals gegessen habe.

»Ein Gläschen Sekt?«

»Gern!«

Und so geht es dahin – und es geht gar nicht schlecht. Wir haben eine Unterhaltung, die nicht arschlangweilig ist und mir wird klar: Nur wenn ich mein wahres Ich zeige, gebe ich ihr die Chance, auch darauf einzugehen, und dann wird das was mit dem Gespräch. Alles andere ist Theater.

Vermutlich werden wir trotzdem nicht unzertrennliche Freundinnen, aber kommt Oma zu Besuch, bin ich nicht mehr gestresst: Ich muss nichts vorbereiten und kann ganz gelassen bleiben, denn Theater spielen muss ich auch nicht. Nicht mal Kuchen muss ich mehr besorgen: »Ich habe was mitgebracht!«, flötet sie jetzt und freut sich, dass das Kind ihre Obstkuchen so gerne mag. Und ich auch, ganz Bienchen halt.

Hier sind noch einige Impressionen zum Thema Familie, lassen Sie sich ruhig inspirieren:

GESCHENKE UND ERBSTÜCKE DER FAMILIE

Ich habe ja schon die Makramee-Ampel erwähnt … Prinzipiell kann man Geschenke in verschiedene Gruppen aufteilen:

- Perfekte Geschenke sowie Geschenke, die ungefähr in die Richtung des Geschmacks des Beschenkten zielen – und auch ungefähr treffen
- Geschenke, die man sich zuvor gewünscht hat

Das sind Geschenke der ersten Gruppe.

- Geschenke, die in die Richtung des Geschmacks des Beschenkten zielen, aber leider vorbei treffen
- Praktisches (Dinge, die erst Tränen, dann Scheidungen provozieren)
- Geschenke, von denen der Schenkende gerne möchte, dass sie benutzt werden
- Geschenke, die der Schenkende selbst gerne hätte (zum Beispiel eine Motorsäge)

Das sind Geschenke der zweiten Gruppe.

Je nachdem, wie groß Ihre Wohnung und Ihr Keller sind, können Sie natürlich alles sammeln, was da über die Jahre so zusammenkommt. Sie können sich im besten Fall merken, von wem was ist, und es dann hervorholen, wenn der Schenkende bei Ihnen vorbeikommt, wie ich das lange Zeit mit der Kack-Makramee-Ampel gemacht habe. Oder Sie lassen es. Weg mit dem Krempel. Erbstücke sind die gesteigerte Form von Geschenken. Sie sind weder von Ihnen noch vom Schenkenden ausgesucht, es ist also eine reine Glückssache, ob das 48-teilige Service und die Fuchsstola gefallen.

Über die Wahrscheinlichkeit, dass Ihre verstorbene Großtante müt-
terlicherseits und Sie in Sachen Service und Kleidung den gleichen
Geschmack hatten, kann man allerdings Vermutungen anstellen ...
Erbstücke sind deswegen so schwierig, weil an jeder Tasse und
jeder Stola ein großer Beutel Emotionen dranhängt, was zur Folge
hat, dass sich Erbstücke nicht ganz so einfach ablehnen oder aussor-
tieren lassen. Sie können nun natürlich »Gefühle anderer am Arsch
vorbei« sagen, aber dann wären Sie halt ein Arschloch und das ist
ja auch nicht schön. Eine andere Möglichkeit ist das praktische:
»Ich hab doch keinen Platz!« Legen Sie dazu die Handinnenseiten
an Ihre Wangen, schütteln Sie dabei den Kopf und kämpfen Sie
mit den Tränen. Das geht, ich habe das ein paar Dutzend Male
gemacht. »Die Jugendstilvase von Uroma? Wunderschön! Da hab
ich noch ein Eckchen frei.« »Die Porzellan-Figürchen-Sammlung
von den Kronseders? – Ich hab doch keinen Platz!«, Handinnenseiten an die Wangen, Kopfschütteln, Tränenkampf. Es findet sich
dann immer irgendwo ein Platz, aber eben nicht bei Ihnen.

DER ONKEL DARF NICHT KOMMEN

Das ist einer der wenigen Fälle, in denen man »Gefühle anderer
am Arsch vorbei« skandieren kann, ohne sich wie ein Arschloch
vorzukommen. *Der* Onkel darf nicht kommen, basta. Dabei ist es
egal, womit er es sich verscherzt hat. Es gibt Familien, da sitzt ein
Onkel am Tisch, von dem wissen alle, dass er die Nichte begrap-
scht hat oder die Tante vermöbelt, und statt auf die Straße gesetzt
zu werden, geht er noch mal zum Büfett und holt sich eine zweite
Portion Kartoffelsalat! *Der* Onkel von mir ist ein wirklich unange-
nehmer Nazi. Keine Ahnung, woher er das hat, alle anderen Fami-

lienmitglieder sind dahingehend unauffällig. *Der* Onkel war jedoch bei Taufen, Konfirmationen und anderen Verwandtschaftstreffen trotzdem dabei, allerdings gab es so etwas wie ein unausgesprochenes Gesetz: Er hatte hinsichtlich seiner Ansichten die Klappe zu halten. Erst als die jüngere Generation, bestehend aus meiner Cousine und mir, der Familie eröffnete, dass sich jegliches Verwandtschaftstreffen in etwas verwandeln würde, das uns am Arsch vorbeigeht, wenn *der* Onkel weiterhin Teil der Veranstaltung ist, wurde er nicht mehr eingeladen. Das war just nach der Hochzeit besagter Cousine, auf der ein allzu großzügiger Spirituosengenuss *den* Onkel das ungeschriebene Gesetz vergessen ließ, die Klappe zu halten. Die Familie des Bräutigams stammt aus Nigeria, Sie können sich vielleicht ungefähr vorstellen, was da los war. Warum er überhaupt so lange geduldet war, ist auf ein scheußliches Gefühl zurückzuführen, dass besonders gut in Familien gedeiht: Schuld.

Schuld am Arsch-vorbei.

RELIGION & POLITIK

Abgesehen von *dem* Onkel gibt es natürlich noch jede Menge anderer Familienmitglieder, die die abstrusesten Ansichten und Theorien vertreten. Ob Autofahrerpartei oder katholische Kirche, Klimaskeptiker oder Verschwörungstheoretiker, in Familien ist gerne mal ein buntes Potpourri von Gottes großem Zoo vertreten. Anders als bei Freunden muss man die jeweilige Schrulle aber nicht immer ausdiskutieren, besonders wenn es um Themen geht, die darauf bauen, dass man einfach etwas glaubt oder eben nicht, in dem Fall ist eine Diskussion ja auch völlig zwecklos. Deswegen kann man mit seinen Pappenheimern trotzdem gemeinsam einen Kaffee und ein schönes Stück Torte genießen. Vorausgesetzt, der Zoo kommt nicht in Versuchung, da man doch so schön zusammensitzt und einen so vernünftigen Eindruck macht, das Auto-Kirchen-Klima-Thema noch mal zur Sprache zu bringen. Was gerne geschieht, wenn ein Likörchen im Spiel ist (siehe Tante Marta).

Die religiös motivierten Familienmitglieder (Oma Hermine) sehen es unter Umständen sogar als eine Art Pflicht an, ihre Lieben immer wieder auf den einzig wahren Weg zur Glückseligkeit aufmerksam zu machen (auch wenn man schon seit Jahren querfeldein wandert, um beim Vergleich zu bleiben). Ist das eine Verhaltensweise, die nervt? Die einen selbst betrifft? Halleluja, ja! Was ist also zu tun, wenn man sich nicht winden und auch nicht hoffen will, dass man sich mit ein paar »Hm-Hm« bis zum nächsten Themenwechsel durchhangelt? Und wenn man sich auch nicht auf der Heimfahrt über diesen Versuch der weltanschaulichen Intervention ärgern will (und mit L. über Oma Hermine lästern will)?

Überlegen Sie:

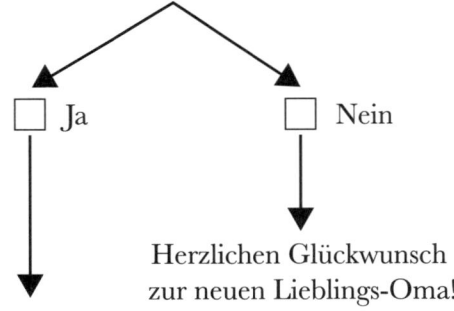

Geht Ihnen die religiöse Weltanschauung der Person am Arsch vorbei?

☐ Ja   ☐ Nein

Herzlichen Glückwunsch
zur neuen Lieblings-Oma!

Probieren Sie etwas in der Art:»Ja, ich verstehe, was du meinst, aber ich denke anders darüber und will das jetzt nicht diskutieren. Schon gar nicht im Angesicht einer so großartigen Torte! Magst du noch ein Stück?«

Es ist nicht nötig, die ganze Hermine zum Teufel zu jagen, wir erinnern uns:

Mit Freundlichkeit können Sie sich die ganzen Themen am Arsch vorbeigehen lassen, die Ihnen ein innerliches Augenrollen bereiten. Niemand wird Ihnen böse sein (falls das ein Umstand ist, der Ihnen nicht am Arsch vorbeigeht), wenn Sie freundlich sind.

Mag sein, dass Oma Hermine vor Überraschung tatsächlich noch ein Stück Torte nimmt, dann hat sie wunderbarerweise den Mund für einige Zeit voll und Sie wechseln das Thema. Das funktioniert auch hinsichtlich der Meinung von Oma Hermine in Sachen Hundehaltung:»Der Hund gehört nicht aufs Sofa!«

»Ja, ich verstehe, was du meinst, aber ich denke anders darüber und will das jetzt nicht diskutieren. Schon gar nicht im Angesicht einer so großartigen Torte! Magst du noch ein Stück?«

Und in Sachen Kindererziehung sowieso:»Ihr verwöhnt den Kleinen viel zu sehr!«

»Ja, ich verstehe, was du meinst, aber ich denke anders darüber und will das jetzt nicht diskutieren. Schon gar nicht im Angesicht einer so großartigen Torte! Magst du noch ein Stück?«

Abgesehen davon, dass man sich den ganzen Schmonz nicht anhören muss (und Oma Hermine auseinandergeht wie ein Hefekuchen), hat diese Methode noch einen schönen Nebeneffekt: Sie sagen, was Sie denken, und das fühlt sich wahnsinnig gut an.

ESSEN

Ich esse gerne Fleisch. Das ist in mancher Runde eine ähnlich brisante Aussage wie »Ich esse gerne kleine Kinder.« Es gab allerdings eine Zeit, in der ich kein Fleisch aß. Vielleicht würde sich diese auch wiederholen, aber seit das Kind da ist, befolge ich eine spezielle Diät, die zu großen Teilen aus den Essensresten des Kindes besteht. Wir haben nun mal kein Schwein zu Hause und weil mir Essen-Wegschmeißen ähnlich schwerfällt, wie es zu kochen, bin eben ich das Schwein. Da das Kind eine große Liebe zu Wurstbroten, Wiener Würstchen und Hühnerbeinen entwickelt hat, ist meine Diät das Gegenteil von fleischlos. Ich bin dahingehend emotionslos, stehe damit aber allein auf weiter Flur: Während mein Freundeskreis das Thema Ernährung als Gesprächsthema höchst spannend findet, gähne ich herzhaft und stopfe mir noch ein Mon Chérie in den Mund. All die neuen Erkenntnisse über ungespaltene Proteine, linksdrehende Radikale oder was das Weißmehl wieder Böses angestellt hat, gehen mir, genau: am Arsch vorbei. Ich bin noch nicht mal irgendeiner anderen Meinung, ich habe einfach gar keine Meinung zur Paläo-Octo-Laktose-Ernährung, es interessiert mich nicht. Andere können darüber so viel reden, wie sie wollen, L. zum Beispiel redet gerade wahnsinnig gerne über Low-Carb-Dinge, nur eben nicht mit mir. Ich habe einen einzigen Anspruch an mein Essen: Es soll schmecken. Vielleicht ist Ihr Anspruch ein anderer, zum Beispiel, dass kein Fleisch oder Fisch Teil des Essens ist oder dass es koscher, halal und außerdem lila gefärbt ist. Was auch immer es ist: Sie haben ein Recht darauf, dass dies respektiert wird (und ich auch). Warum ich darauf ausgerechnet im Kapitel Familie zu sprechen komme, liegt daran, dass es bei Familienfesten jedweder

Art, bei unseren zumindest, ums Essen geht. Man trifft sich zum Schlemmen. Das ist schon deswegen naheliegend, weil man mit einigen Familienmitgliedern nichts anderes gemein hat als den Umstand, dass man sich durch die Aufnahme von Nahrung am Leben hält. Deswegen stoßen auch Einschränkungen in dieser Hinsicht auf Ablehnung: Man sieht dann die Basis gefährdet, den gemeinschaftlichen Braten, auf dem der Familienfrieden steht.

Zusätzlich sind bei Familientreffen ältere Menschen in großer Zahl anwesend, die Neuerungen in dieser Hinsicht (und in vielen anderen Hinsichten) generell ablehnend gegenüberstehen à la: »Wieso willst du kein/en blablabla essen? Wir haben unser Leben lang blablabla gegessen und es hat uns auch nicht geschadet!« und dann kommt noch ein Witz über Vegetarier, die immer Gummistiefel anhaben, weil sie kein Leder tragen dürfen.

In meinem Fall setze ich sogar noch eins oben drauf, denn ich esse zwar alles, aber nur, wenn es mir (zumindest einigermaßen) schmeckt. Ich habe aufgehört, lächelnd löffelweise Dinge in meinen Mund zu schieben, die ich dort nicht haben will, um den Koch oder die Bäckerin zufriedenzustellen. Denken meine Familienmitglieder nun vielleicht, ich wäre heikel? Eine Prinzessin auf der Erbse? Zickig?

Am Arsch vorbei! Im Gegenzug habe ich mir unzählige ›Saure Lüngerl‹ und Karpfen gespart!

FAMILIENTRADITIONEN

Hach, das Thema Familie ist wirklich ein Minenfeld – und Familientraditionen sind eine besonders empfindliche Mine. Die empfindlichste von allen? Weihnachten! *Was wird gegessen, wann gibt es die Geschenke, welche Musik wird gespielt, Kirche oder nicht?* sind die Eckpfeiler. Hinzu kommen Kleinigkeiten, zum Beispiel wer wann und wie den Baum schmückt oder welche Lieder gesungen werden. Schon im Vorfeld gibt es jede Menge Sprengstoff: Wann kommt der Nikolaus und in welcher Gestalt, wer backt die Plätzchen und vor allem: welche Sorten? Teilweise sind Details aus dem Weihnachtsprogramm ebenso wichtig wie das große Ganze: In meiner Familie zum Beispiel ist es Tradition, dass der Guss der Butterplätzchen mit Lebensmittelfarben gefärbt wird. Wir haben dann hellblaue, rosa, gelbe und grünliche Plätzchen. Davon abzuweichen, ist mir nicht möglich, ich erkenne das Plätzchen sonst nicht als solches an. Und so hat jeder seine eigene Liste an Dingen, die nicht verhandelbar sind und unbedingt eingehalten werden müssen. Meine Liste sieht so aus:

- Bunte Plätzchen
- Mahalia Jackson-CD
- Hübsch anziehen
- Rote Christbaumkugeln und Strohsterne als Christbaumschmuck

Bis vorletztes Weihnachten stand auf dieser Liste noch ein Punkt:

- Fondue

Und zwar ein Fleisch-Fondue, denn: Bei uns zu Hause gab es SCHON IMMER Fondue an Weihnachten. Sogar in meiner fleischlosen Zeit war dieser Abend im Jahr eine Ausnahme. Ich war ein Weihnachts-Karnivore! Dann kam das Kind. An seinem ersten Weihnachten war das unkompliziert, denn so aufregend wir auch sein erstes Weihnachten fanden, das Kind hat es komplett verpennt. Allerdings gab es durchaus Stressmomente, hauptsächlich wegen dieses blöden Gefäßes, das unter dem Fondue-Topf stehen und den Spiritus beinhalten sollte, was aus zwei Gründen nicht möglich war:

1. Das Gefäß war verschwunden.
2. Der Spiritus war verschwunden.

Ausschließlich der Heiligkeit des Abends ist es zu verdanken, dass es an selbigem nicht zu einem ausgewachsenen Streit kam, wer für die Aufbewahrung von Küchengeräten zuständig ist (L.). Im Jahr darauf war das Kind hellwach und half begeistert bei den Vorbereitungen. Das führte zu hellblauen, rosa, gelben und grünlichen Haaren während der Backzeit bei Kind und Hund und auch der Baum sah etwas anders aus als sonst: Im untersten Meter des Christbaums hing das Kind nämlich alles über die Äste, was in seinen Augen als Christbaumschmuck durchging, zum Beispiel Socken, Stofftiere, Alufolie und zur Freude des Hundes: Wurstscheiben. Alle waren froh und zufrieden (vor allem der Hund), und dann kam Heiligabend.

Ab Mittag stand L. in der Küche und bereitete Soßen zu. Das ist toll und die Soßen, die er macht, sind traumhaft. Er macht immer fünf, sechs verschiedene Soßen – und ist so den ganzen Nachmittag über beschäftigt. Das heißt, ich kam irgendwie nicht dazu, mich und das Kind hübsch zu machen, die letzten Geschenke zu verpacken, und auch die Mahalia Jackson CD verliert etwas von ihrer besinnlichen Wirkung, wenn man währenddessen alle paar Minuten ruft: »Nicht den Hund ablecken!«, »Du sollst doch nicht den Hund ablecken« und »Jetzt sage ich es nicht noch mal!«

Als die verdammten Soßen fertig waren, saßen wir um das Fondue. L. noch mit seiner Schürze um, ich in Jogginghose, das Kind stach mit der Fonduegabel in seine Hausschuhe und wir schoben den Fonduetopf so weit von ihm weg, dass es sich nicht an dem heißen Öl verletzen konnte, was dazu führte, dass wir halb aufstehen mussten, um das Fleisch hineinzugeben, und das Kind wie am Spieß schrie, weil es natürlich das war, was es auch machen wollte. Dann ging das Feuer unter dem Topf aus. L. und ich sahen uns mit aufgerissenen Augen an: Nicht schon wieder! Alle taten, was sie konnten: L. hob das heiße Öl hoch, ich versuchte mich an der Brennpaste und das Kind fütterte den Hund mit Eiersoße, aber alles half nichts: Die Brennpaste ließ sich nicht wieder entzünden.

Aber L. wollte dieses Jahr ganz sicher gehen: »Ich habe vorsichtshalber noch Brennspiritus gekauft!« Triumphierend füllte er die Flüssigkeit in das Gefäß (er hatte sogar ein Ersatz-Gefäß gekauft) und was soll ich sagen: Der Spiritus brannte nicht. Also überhaupt kein kleines bisschen, null, nada, niente. Diesen Spiritus hätte man zur Brandbekämpfung einsetzen können! Schließlich kochten wir unser gutes galizisches Rindfleisch in dem Öl über ein paar Teelichtern hellgrau und ertränkten es in Soße (außer Eiersoße, die war inzwischen im Hund). Allerdings nur kurz, denn das Ganze hatte so lange gedauert, dass das Kind nicht mehr sitzen bleiben wollte und ich musste doch erst mit dem Glöckchen klingeln und die Musik wieder anmachen! Kurzum: Es war nicht sehr weihnachtlich, zumindest dieser Teil nicht. »Fondue am Arsch vorbei!«, heißt es seitdem. Also nicht ganz, denn dieses Weihnachten findet das Fondue-Essen am 1. Feiertag statt. Ganz gemütlich, in Jogginghosen, mit einer Soße weniger, und das Kind kann währenddessen spielen oder mit am Tisch sitzen, wie es ihm gefällt. Niemand muss auf die richtige Musik, das Glöckchen und das Timing achten, oder darauf, ob die Geschenke schon an ihrem Platz liegen. Und am Weihnachtsabend selbst gibt es Harmonie-Würstchen mit Kartoffelsalat. Vielleicht wird das eine neue Familientradition. Zumindest so lange, bis sie wieder jemand ändert.

DIE ELTERN ENTTÄUSCHEN

Nein, wir kommen nicht zu Tante Mimis 47. Hochzeitstag, nein, wir laden nicht eure Nachbarn zur Hochzeit ein, nein, es gibt keinen zweiten Enkel, der dann ein Mädchen wird, nein, L. wird nicht das Geschäft seines Vaters übernehmen und vor allem: Nein, wir fahren unter gar keinen Umständen mit der ganzen Familie zwei Wochen auf einem Kreuzfahrtschiff herum. Außerdem werde ich nicht ins »ernste Fach« wechseln, Lesungen halten und dabei eine schwarze Hornbrille tragen oder doch noch promovieren.

So und ähnlich enttäusche ich verschiedene Familienmitglieder am laufenden Band, vor allem meine Mutter, die dann so einen leicht leidenden Blick nach schräg unten aufsetzt und zu summen anfängt.

Dass Eltern oftmals so hohe Erwartungen an uns haben, liegt daran, dass sie uns von Geburt an für herausragend halten. Auch ich bin davor nicht gefeit und von der einmaligen Intelligenz meines zweijährigen Kindes mehr als überzeugt. Auch wenn es noch in die Windeln macht und tatsächlich glaubt, der Opa könne ihm die Nase klauen, indem der seinen Daumen zwischen Zeige- und Mittelfinger steckt. Das ändert nichts daran, dass ich meine, eine außergewöhnliche Begabung in allem, was es tut, feststellen zu können. Außerdem sieht es natürlich unwahrscheinlich gut aus. Das geht so die ganze Kindheit durch. Dann kommt die Pubertät.

In der Pubertät übt man, die Familie zu enttäuschen. Das fängt mit den Klamotten an (je nach Geburtsjahr handelt es sich dabei um zerrissene Jeans, ultrakurze Röcke oder Baggy Pants), geht weiter mit der Frisur (lang, verfilzt, rasiert oder farbig), landet bei verbotenen Substanzen (Zigaretten, Alkohol, Drogen) und endet in der Regel mit einem Supergau in der Schule (durchgefallen, rausgeworfen). Das sollte Eltern eigentlich abhärten in Sachen Enttäuschung. Weit gefehlt!

Dabei lassen sich die Enttäuschungen der Eltern meist in zwei Kategorien einteilen:

1. Beruf
2. Wahl des Partners

Nach Ansicht unserer Eltern und vor allem der Mütter bleiben wir in diesen beiden Disziplinen hinter unseren Möglichkeiten zurück – nach Ansicht unserer Mütter sind wir aber auch alle unentdeckte Genies und wunderschön. Was die Partner angeht, halten sich die Eltern meistens schlau zurück und rücken erst im Nachhinein mit der Sprache raus: »Ich wusste von Anfang an, dass der nichts für dich ist!«

Was den beruflichen Werdegang angeht, halten sich die Eltern meist überhaupt nicht zurück. Meine waren – aus welchem Grund auch immer – felsenfest davon überzeugt, ein Jurastudium wäre für mich genau das Richtige. Mehr aus Ratlosigkeit und wegen der versprochenen finanziellen Unterstützung willigte ich ein und ich schwöre: Noch während der ersten Infoveranstaltung wusste ich:

Das ist nichts für mich. Die redeten und redeten über Referendari-
ate und Repetitorien und nach eineinhalb Stunden Zuhören kam
ich lediglich zu dem Schluss: *Ja, ich kenne einige der Worte, die sie gesagt
haben.* Kurz, es war eine Katastrophe – zumal ich keine Alternative
parat hatte. Und so lebte ich noch einige Monate mit dem Wissen:
Es kommt der Moment, in dem ich zu Hause sagen muss: »Hey!
Übrigens, ich schmeiße hin. Danke, dass ihr mich bis jetzt so toll
unterstützt habt, ich arbeite jetzt erst mal in einer Kneipe, bis ich
weiß, wohin. Bussi!« Waren sie enttäuscht? Natürlich waren sie
enttäuscht! Es ist ganz normal, die Eltern zu enttäuschen! Würde
man dies nicht tun, wäre man ein Roboter oder ein Klon!

Gleichzeitig war es eine große Erleichterung. Nicht nur, weil
es endlich gesagt war, sondern **weil immer, wenn wir das
tun, was wir wollen, wir uns glücklich und frei fühlen**.
»Jura am Arsch vorbei und die Erwartung der Eltern am Arsch
vorbei.«

(Es kann außerdem hilfreich sein, sich vor Augen zu halten,
dass die eigenen Eltern nicht Bundesrichter, Astronaut, Bundeskanzlerin oder zumindest stinkreich geworden sind. Es sei denn,
sie sind Bundesrichter, Astronaut, Bundeskanzlerin oder zumindest stinkreich geworden.)

4. IM BERUF

- Das Brainstorming
- Bürogeschenke
- Alles auf sich beziehen
- Gefallen
- After-Work
- Aufopfern
- Schuld
- Anderen Arbeit bereiten

Wer mit Tante Marta, *dem* Onkel und den Erwartungen der Eltern umgehen kann, von dem meint man eigentlich, dass er mit Arbeitskollegen und dem Chef schon lange auskommt. Weit gefehlt! Der Joballtag ist voll mit Leuten und Situationen, die eine eigene Umgehungsspur am Arsch vorbei verdient hätten.

DAS BRAINSTORMING

In der bereits erwähnten, coolen Werbeagentur ist ein solcher Arsch-vorbei-Kandidat das Brainstorming. Schon mal gemacht? Ein Brainstorming, also übersetzt ein »Hirn-Sturm«, soll durch gemeinschaftliches, kreatives Nachdenken neue Ideen für eine gestellte Aufgabe (z. B. Werbekonzept für Stoma, also künstliche Darmausgänge) bringen. Dabei besteht jedoch ein beträchtlicher Anteil dieser Hirn-Stürme aus Hirn-Fürzen. Auch ein Wind, nur anders.

Während eines Brainstormings können verschiedene Methoden angewendet werden, die anregend für die Kreativität sein sollen. Eine beliebte Methode ist die Sechs-Hüte-Technik. Sie wurde von dem Mediziner Edward de Bono entwickelt (der dabei vermutlich schwer betrunken war). Die Teilnehmer nehmen hierfür je eine bestimmte Sichtweise ein, die durch verschieden farbige Hüte gekennzeichnet ist: Der weiße Hut steht zum Beispiel für einen analytischen Blick auf Fakten, der rote Hut steht für Gefühle und Intuition. Den gelben Hut trägt der Optimist, den schwarzen der Bedenkenträger. Der grüne Hut ist der kreative Kopf im Kreis, der mit dem blauen Hut moderiert die Runde. Im Laufe des Brainstormings wechseln die Teilnehmer reihum den Hut und tauschen so die Rollen. Dadurch wird man gezwungen, andere Perspektiven einzunehmen, man blockiert sich selbst weniger und überwindet innere Widerstände.

Können Sie es sich ungefähr vorstellen? Da sitzen sechs erwachsene Menschen auf Bürostühlen um einen Meeting-Tisch – die Männer mit Vollbart und Anzug, die Damen mit gemachten Nägeln und alle mit einem bunten Hut auf dem Kopf – und versuchen pfiffige Dinge über künstliche Darmausgänge zu sagen.

Das ist eine dieser Situationen, in denen man sich von oben betrachtet und denkt: *Was zur Hölle?*

»Stoma – weil du es dir wert bist!«, wehen da schon die ersten Hirnfürze durch den voll verglasten Raum – und bei aller Liebe: Jetzt reicht's.

»Ist das Brainstorming schon vorbei?«, fragt mich die Drösel, als ich mich in unserem Büro auf meinen Drehstuhl plumpsen lasse.

»Nein«, schüttle ich den Kopf, und dabei fällt mir der depperte Hut vom Kopf. Entgeistert sieht sie mich an: »Bist du etwa – abgehauen?«

So sieht es wohl aus.

Manchmal macht man etwas im Affekt und überlegt sich erst später, ob das die beste Entscheidung der Welt war. Die Entscheidung, das Stoma-Brainstorming mitsamt Hut zu verlassen, war so eine. Das liegt nicht am Produkt, sondern an der Veranstaltung, und dabei ist es egal, ob die Veranstaltung mit Hüten gespickt ist oder ohne: In keinem Meeting, in dem ich mir bisher den Hintern platt gesessen habe, war meine Anwesenheit in irgendeiner Weise hilfreich. Das liegt zu einem Großteil daran, dass ich mich von anderen Leuten leicht ablenken lasse: Ich überlege dann, ob Larissa jetzt neue Extensions hat oder nicht (hat sie), was auf dem T-Shirt von Detlef steht (*Werbefuzzi*) oder ob das dunkle Schwitzflecken auf dem Hemd von Andreas sind. Alles beansprucht meine Aufmerksamkeit mehr als das Thema. Bei Videokonferenzen versuche ich Gegenstände im Hintergrund zu erkennen, und wenn einer der Teilnehmer einen Tick hat, ein Muttermal auf der Oberlippe, das sich beim Sprechen bewegt, oder er nach jedem Satz ›okay‹ sagt, bin ich schon verloren. Dann kann ich froh sein, dass ich nach dem Meeting noch zusammenkriege, um was es überhaupt ging. Die Notizen, die ich mir während eines Meetings mache, bestehen aus geometrischen Mustern und liegenden Katzen, die kann ich nämlich recht gut zeichnen. (Das Kind hat aufgrund meiner Notizen eine recht eigenartige Vorstellung von meinem Job.) Kurzum: Meetings und Teamwork sind nichts für mich. Ich bin für einsames Brüten über dem Rechner gemacht, wenn möglich bei geschlossener Türe. Die Einzige, die mich dabei nicht stört, ist die Drösel. Mit ihr sitze ich schon so lange in einem Büro, dass ich jede Eigenart, jede Macke und jedes Outfit kenne. Sie ist Teil meines Büros geworden. So wie andere einen Kaktus am Fensterbrett stehen haben, habe ich die Drösel. Sie ist meine Büropflanze. Und ich mag sie sehr (inzwischen).

Sie ist es auch, die nach meiner Flucht aus dem Brainstorming laut ausspricht, was ich insgeheim befürchte:»Wird Detlef da nicht sauer sein?« Detlef, der *Werbefuzzi*, ist unser Chef.

»Detlef?«, luge ich vorsichtig hinter der angelehnten Tür in sein Büro. Er sitzt hinter seinem Schreibtisch und starrt in den überdimensionalen Monitor darauf.»Heute bei dem Meeting«, versuche ich anzufangen und suche in Gedanken nach anderen Wörtern für *alberne Hüte* und *unerträglich*.

»Ja, was war?«, fragt Detlef nicht unfreundlich und sieht mich an.

»Es ist so, die Meetings, also ich – ich wäre lieber nicht dabei. Ich bin alleine viel effektiver und ich könnte mir ja die Resultate …«

»Okay!«, sagt Detlef und sieht wieder in seinen Monitor.»Kannst du dir vorstellen, dass die Bayern Drei Null verloren haben?«

»Das war alles?« Die Drösel kann es nicht fassen. Wir sitzen uns auf den Bürostühlen gegenüber und starren uns an.»Ja. Er meinte noch, wichtig wäre nur das Ergebnis und nicht der Weg dorthin.« Das klingt logisch. Ich weiß gar nicht, warum es mich so verwundert, dass Detlef etwas Logisches sagt. Natürlich zählt für ihn nur das Ergebnis und niemand hat etwas davon, wenn ich bei dem Meeting zwar anwesend, aber ungefähr so produktiv bin wie der Teller Obst. Warum zur Hölle hatte ich das nicht schon viel früher gesagt? Ich hätte mir Stunden, Tage, vermutlich ganze Wochen an Meetings und unzählige Hütchen gespart! Irgendwie hatte ich vorher immer so eine unbestimmte Angst davor, es auszusprechen. – Aber mal im Ernst: Was hätte denn passieren sollen? Im schlimmsten Fall hätte Detlef gesagt: *Mir ist wumpe, ob dir die Meetings gefallen, du gehst da hin.* Also was soll diese diffuse Angst?

Als ich an diesem Abend L. von der Sache erzähle, sieht der mich mit großen Augen an:»Die Bayern haben Drei Null verloren?«

Manchmal könnte ich ihn erwürgen.

Die Sache mit den Meetings und den Hüten war zwar eine Verweigerung im Affekt und nicht eine bewusste Entscheidung, versetzt mich aber in eine solche Hochstimmung, dass ich mir vorkomme, als würde ich zu *We are the Champions, my friend …* ins Büro einlaufen. Ich könnte alles schaffen, wenn ich wollte, ich bin geschätzte zehn Zentimeter größer als sonst, nichts kann mich und meinen neuen Weg stoppen, und dann kommt: Mechthild.

BÜROGESCHENKE

Vermutlich gibt es in anderen Büros auch eine Mechthild, unsere Mechthild ist klein, eifrig, und saß mit Sicherheit früher in der Schule hoch aufmerksam in der ersten Reihe. Mechthild ist nicht unsympathisch und kein schlechter Mensch oder dergleichen, aber es verbindet uns auch nichts. Einmal letzte Reihe, immer letzte Reihe. Mit demselben Eifer, mit dem Mechthild früher den Tafeldienst gemacht hat, ist sie nun im Büro dabei, die Geburtstage von sämtlichen Mitarbeitern in ihre Excel-Tabelle einzutragen, diese zu aktualisieren und eine Woche vor dem Geburtstag eines Kollegen aktiv zu werden. Zuerst streunt sie mit einem für diese Zwecke angeschafften Sparschwein durch die Büros und klappert alle Mitarbeiter ab, auf Spendensuche. Sie sieht auch im Klo nach, falls man sich dort spontan versteckt. Ein paar Tage später macht sie dann die gleiche Tour nochmal, aber mit einer großen Glückwunschkarte, auf die man etwas ›Lustiges‹ schreiben soll – obwohl meistens schon etwas ›Lustiges‹ vorne drauf steht, sowas wie:

Ich bin nicht 40!

Ich bin 18 mit 22 Jahren Erfahrung!

Knaller, oder? Diese wird dem Geburtstagskind dann am Ehrentag auf den Schreibtisch gestellt und daneben das Geschenk. Dabei handelt es sich um derart ausgesucht scheußliche Dinge, dass ich immer gar nicht weiß, wo Mechthild die Sachen herbekommt. Aufblasbare Torten, Einhorn-Plüsch-Hausschuhe und eine Plastikpistole, in die man Tesaband einlegen kann. Hatten wir alles schon.

Mechthild wird aber nicht nur bei Geburtstagen aktiv. Sie dreht auch ihre Runden, wenn Karins Kinder eingeschult werden, der

Hausmeister in Rente geht, Pia in eine andere Agentur wechselt und Ansgar im Krankenhaus liegt, weil er beim Skifahren über eine Schanze gesprungen ist und sich überschlagen hat, der Depp. Einstands-Ausstands-Kranken-Weihnachtsgeschenke, es ist eine Endlosschleife aus Kitsch, die durch unser Büro rollt. Ich hatte schon mal den Alptraum, ich verunglücke tödlich, aber das Scheußliche an diesem Alptraum war nicht der Umstand, dass ich da draufgegangen bin, sondern dass zu meiner Beerdigung die gesamte Belegschaft kam und Mechthild den Kranz in Auftrag gegeben hatte ...

Es ist auch nicht so, dass ich generell Geburtstagen von Kollegen ablehnend gegenüberstehe: Die liebe Drösel hat am fünften März Geburtstag und da bekommt sie von mir einen selbst gebackenen Kuchen, einen Nusskuchen mit Schokoglasur, den mag sie gern. Der Unterschied ist: in einem Fall (Drösel, Nusskuchen) sind beide Parteien (Drösel, ich) glücklich, im anderen Fall (Kollegen, Einhorn-Plüsch-Hausschuhe) ist niemand glücklich – außer Mechthild.

In Anbetracht all dieser Fakten und zugegebenermaßen auch aus Furcht vor Einhorn-Plüsch-Hausschuhen fasse ich den Entschluss: Spenden im Büro am Arsch vorbei. Sie machen mich nicht froh, ich finde sie nicht gut, ich würde es lieber bleiben lassen, ergo Tattaaaa: lasse ich es doch bleiben. Das Einzige, was mich davon abhält, ist Mechthild. Beziehungsweise, was Mechthild von mir denkt, wenn ich sage, ich bin raus aus der Nummer, und was die anderen Kollegen denken, wenn mein Name nicht auf ihrer geschmacklosen Glückwunschkarte steht. Ich überlege etwas hin und her, komme aber immer wieder zum gleichen Schluss: Eigentlich kann mir das ganz getrost am Arsch vorbeigehen. Ob jetzt Sandra aus der Buchhaltung findet, ich hätte oder hätte nicht – egal.

Das alles geschieht in den geschätzten zwei Minuten, in denen Mechthild vor mir steht und ihren Mund bewegt:» … Kollege blabla, … Führerscheinprüfung blabla … etwas Lustiges bla …« und mir ihr Sparschwein vor die Brust hält.

Erstaunlich, dass etwas, was man will, und von dem man überzeugt ist, trotzdem so unangenehm ist auszusprechen:»Mechthild, ich mache das nicht mehr mit dem Geld geben. Es ist, ähm …«, und erst an dieser Stelle fällt mir auf, dass ich mir eventuell einen schönen Spruch hätte überlegen sollen.»Es ist etwas Prinzipielles«, lächle ich sie an, während mein Hirn durchdreht und ich mich in Gedanken selbst nachäffe: *etwas Prinzipielles* …

Aber es zeigt Wirkung. Mechthild ist etwas irritiert, akzeptiert aber sofort:»Oh, achso. Ja nee, dann ist klar, tschüssi …«, und sucht das Weite. Als hätte ich ihr eröffnet, meine religiöse Überzeugung spräche gegen Sparschweine oder Glückwunschkarten.

»Oder sie denkt, du spinnst«, überlegt die Drösel, als ich ihr davon erzähle, und das Schöne ist: Das geht mir total am Arsch vorbei.

Das erste Mal, als Mechthild nach unserer Unterhaltung über Prinzipien wieder mit dem Sparschwein unterwegs ist, treffe ich in der Küche auf sie. Zwei Kollegen aus der Grafik stehen mit mir um die Kaffeemaschine und als Mechthild sie abkassiert und mich nur grüßt und dann weiterzieht, sehen mich die Kollegen schräg von der Seite an. In ihrem Blick liegt keine Empörung, keine Missstimmung, noch nicht mal Verwunderung. Es ist purer Neid!

Keine Meetings, keine Einhorn-Plüsch-Hausschuhe, eine Mega-bilanz in Sachen Arsch-Vorbei. Das Tolle daran, sich alles mögliche am Arsch vorbeigehen zu lassen, ist aber auch, dass man sich danach fühlt wie der King of Currywurst. Ein paar kleine Schuldgefühle im Nachhinein in Bezug auf Führerscheinprüfungs-Jubiläums-Praktikanten-Ausstands-Geschenke kann man bemerken und sie dann *Olé!* ebenfalls dort vorbeigehen lassen. Sie helfen niemandem. *We are the Champions, my friend …*

ALLES AUF SICH BEZIEHEN

Eine große Lektion in Sachen Arsch-Vorbei habe ich auch von unserem Stoma-Kunden gelernt. Der kommt nämlich, wie das üblich ist, nach einer Woche in der Agentur vorbei, um sich zeigen zu lassen, was für peppige Konzepte sich die Agentur in Sachen künstliche Körperöffnungen so einfallen hat lassen. Zu diesem Anlass wird der Kunde in den schönsten Meeting-Raum gebeten und mit Kaffee, Schokoriegeln, Obst und guter Laune vollgestopft. Insgesamt haben es intern zwei Konzepte in die engere Auswahl geschafft, eins davon ist von mir und ich muss es (leider) selbst vorstellen. Es gibt ja Leute, die blühen bei sowas auf. Wer hätte das gedacht: ich nicht. Ich muss mich zusammenreißen, um nicht zu nuscheln und nur auf das Papier in meiner Hand zu starren, und wenn jemand hustet, bin ich aus dem Konzept. Dementsprechend schwitzig sind meine Hände, bevor es losgeht. Aber noch ist das erste Konzept dran und ich sehe den Kunden von der Seite an: Er sieht nett aus, er lächelt wohlwollend und nickt in unregelmäßigen Abständen. Es scheint ihm zu gefallen, die Stimmung ist gut, alles wunderbar. Dann komme ich.

Als ich mich vor die große Tafel stelle (Tafel ist voll *Vintage* und damit hipp) und anfange, mein Konzept darzulegen, sehe ich, wie der Kunde das Gesicht verzieht. Seine Augenbrauen ziehen sich zusammen wie Gewitterwolken, die Mundwinkel zeigen deutlich nach unten und seine Arme verschränkt er vor der Brust.

Man muss kein ausgebildeter Menschenleser vom FBI sein, um die Gesamtheit seiner Körpersprache als großes, fettes Minuszeichen zu deuten. Verdammt. Ich war mir so sicher bei meiner Idee, aber was mir dieser Kunde nonverbal kommuniziert, ist: »Das ist das Beknackteste, was ich je in meinem Leben gehört habe!«

Im Eiltempo bringe ich die Präsentation hinter mich, wir wollen das Leiden ja nicht unnötig hinauszögern. Am Ende sammle ich Papiere und Laptop ein, und während sich alle erheben und strecken, klatscht der Kunde einmal laut in die Hände. »Fein!«, sagt er, »ich danke Ihnen vielmals ...« Und in Gedanken ergänze ich: ... *aber was sollte der Auftritt der kleinen Dunkelhaarigen?* Stattdessen geht es so weiter: »[Fein! Ich danke Ihnen vielmals], ich denke, mit dem zweiten Konzept sind wir auf einem guten Weg.«

Und dann lädt er Detlef und mich zum Essen ein. − Moment. Hä? Was da passiert ist? Ich kann Ihnen sagen, was passiert ist:

Zwischen Grappa und Tiramisu habe ich es nämlich erfahren: Der Kunde hatte einen eingewachsenen Zehennagel. So banal und doch so schmerzhaft. Während zu Beginn der Chose noch alles dufte war im Schuh, hat er währenddessen Schmerzen bekommen, die sich aufgrund seiner eng sitzenden Schuhe ins Unerträgliche gesteigert haben. Er hatte also nonverbal nicht kommuniziert: »Das ist das Beknackteste, was ich je in meinem Leben gehört habe!«, sondern: »Au, verdammt, scheiß Zehennagel!« Zwei völlig unterschiedliche Aussagen! An ihn denke ich jetzt immer, wenn mich eine Reaktion oder Verhaltensweise meines Gegenübers verunsichert. Wenn mich zum Beispiel Detlef oder der Busfahrer oder der Bäcker unfreundlich angrummelt, dann hat das nichts mit mir zu tun. Vielleicht hat derjenige einen schlechten Tag, einen eingewachsenen Zehennagel oder die Bayern haben Drei Null verloren. Was auch immer es ist: Es wird nicht mehr heruminterpretiert, warum wer eine Schnute zieht. Schnuten am Arsch vorbei, dank Zehennagel!

Auf den zweiten Blick ist der Alltag im Job voll von potenziellen Arsch-vorbei-Kandidaten, nicht? Ich habe hier noch ein paar:

GEFALLEN

Gefallen sind eine gaaaanz große Nummer im Job, oder? Ob es darum geht, Schichten zu übernehmen, Urlaube zu tauschen oder sich *mal schnell* das Computerproblem anzugucken: Es gibt Leute, die sagen in solchen Fällen immer: *Ja klar, mach ich,* auch wenn sie eigentlich meinen: *Himmel nein, lieber hacke ich mir einen Arm ab!*

Ich bin so eine. Ich habe meinen Kollegen so viele Gefallen getan, dass ich gar nicht mehr weiß, wohin mit meinen Kollegen-Karmapunkten. Warum das so ist? Pfff, was weiß denn ich. Angeblich haben wir ewigen Ja-Sager Angst, dass unser Gegenüber uns nicht mehr mag, wenn wir ihm seine Bitte abschlagen. Wir wollen gefallen. – Das kann schon sein. Für diese Theorie spricht, dass ich bei Menschen, die ich sehr gut kenne und deren Zuneigung ich mir sicher bin, weniger Schwierigkeiten habe, Nein zu sagen. L. kann da ein Lied von singen.

Mein Hirn weiß natürlich, dass ein Nein nicht über Sympathie entscheidet. Ich muss keine Opfer bringen, um gemocht zu werden. Mir ist auch klar, dass jemandem, der Grenzen ziehen kann, mehr Respekt entgegengebracht wird, aber sobald ich in die Situation komme, nützt das Hirn nichts. Da wird es mir entsetzlich UNANGENEHM und diesen Zustand beende ich durch ein erlösendes *Ja, klar, mach ich*, und beiße mir danach in den Hintern, dass ich es wieder nicht geschafft habe.

Einer, der für besonders viele dieser Kollegen-Karmapunkte zuständig ist, ist Markus. Dessen Sätze fangen häufig so an:

- Könntest du mal eben ...?
- Ich habe da ein Problem ...
- Hast du kurz Zeit ...?
- Da wäre noch eine Sache ...

Und hast du nicht gesehen, sitze ich plötzlich über einem Problem, das nicht meines ist. Zumindest nicht ursprünglich, danach ist es das sehr wohl. Nervt mich das? Oh ja. Betrifft es mich persönlich? Und wie! Darum heißt es ab jetzt: Gefallen (und Markus) am Arsch vorbei. Das muss nicht heißen, dass ich Markus überhaupt nie mehr helfen werde – aber es darf nicht mehr die Regel sein.

»Was sag ich denn nun am besten?«, überlege ich, als ich mit Jana bei einem Martini im Einstein sitze.

»Wie wäre es mit *Nein*?«, schlägt Jana vor. Ich sehe ihr tief in die Augen. »Du bist mir keine große Hilfe, mein Fräulein.«[9]

---

9   vgl. Das Glücksprojekt, mvg Verlag, ISBN-13: 978-3868822052

Die Fachwelt sagt, die beste Möglichkeit für so rückgratlose Weicheier wie mich ist, um etwas Bedenkzeit zu bitten.

»Könntest du bitte noch kurz meinen Text hier anschauen?«

»Ich sage dir in zehn Minuten Bescheid.«

Finde ich eine super Lösung. Das einzige Problem daran ist, dass ich dann in zehn Minuten *Nein* sagen muss und wieder vor dem gleichen Dilemma stehe.

Ein anderer Vorschlag besteht darin, dem Gegenüber ein Kompliment zu machen, bevor man ihm absagt.

»Könntest du bitte noch kurz meinen Text hier anschauen?«

»Oh, deine Texte sehe ich mir am liebsten an, aber dieses Mal kann ich nicht.«

Klingt schon viel besser als *Nein*.

Am nächsten Tag ist es spannend im Büro. Ich warte auf mein Praxismodell. Das erscheint in Form von Markus pünktlich in dem Moment in der Türe, als ich meinen Computer zuklappe.

»Hey Alex, bist du schon fertig?«

»Ja«, *gleich kommts, gleich kommts,* denke ich mir und bin schon ein bisschen aufgeregt.

»Könntest du vielleicht mal über meinen Text schauen? Irgendwie fehlt da noch was.«

Ok, das ist der Moment.

»Markus, deine Texte sehe ich mir zwar am liebsten an, aber leider kann ich nicht.«

Ich setze mein schönstes Lächeln dazu auf. Habe ich flehend geklungen? Und warum fühle ich mich nicht erleichtert und prima, da ich es doch endlich geschafft habe? Kurz darauf wird mir klar, wieso. Markus akzeptiert mein *Nein* nicht. Mein Unterbewusstsein hat das vermutlich viel früher registriert als der Rest von mir, deswegen will keine Freude aufkommen. Markus steht immer noch in der Tür. Vielleicht hat ihm etwas an mir signalisiert, dass da noch Verhandlungsspielraum ist.

»Ich muss das aber heute Nachmittag abschicken, komm schon, es dauert ja nicht lange – bittebitte!« Dazu legt er den Kopf schief und lächelt.

Das ist jetzt aber für Fortgeschrittene, finde ich. Wie kommt er überhaupt dazu, sein Problem mit der Abgabefrist zu meinem Problem zu machen? Das habe ich ja dick, so was. Noch dazu weiß ich, dass Markus die Dinge immer aufschiebt und dann kurz vor knapp überall um Hilfe ruft. Es stimmt auch nicht, dass es nicht lange dauert! Wenn ich mich da dran setzte, dauert das zwischen ein und zwei Stunden. *Der nimmt mich einfach nicht ernst*, denke ich und es steigt eine kleine Wut in mir hoch. Es erinnert mich an den Moment, als ich mit Kathrin Schluss gemacht habe. Da konnte ich auch ein Gefühl der Wut nutzen, um es kurz über mein Gefallen-Wollen zu legen. Das mache ich jetzt wieder. Nicht der Feng-Shui-Weg, aber er funktioniert: Ich denke: *Seit acht Stunden bin ich schon im Büro und Markus hat den Nerv, mir jetzt noch seinen Scheiß anhängen zu wollen.* Ich stehe automatisch aufrechter und gerader, Wut braucht mehr Platz als Empathie. Und dann dieses blöde Kopf-schief-Legen! Meint er wirklich, er kommt leichter damit durch, wenn er einen auf putzig macht? Für wie blöd hält der mich eigentlich? – Na ja, er ist ja oft genug damit durchgekommen, muss ich zugeben.

Ich lege den Kopf genau so schief wie er und sehe ihm in die Augen. Markus' charmantes Lächeln gefriert etwas. »Nein, danke«, sage ich und jetzt ist es angekommen. Und da taucht von ganz tief unten endlich ein triumphierendes Hochgefühl auf, schwimmt sich nach oben frei und überschüttet mich, wobei es die Wut gleich davon spült. Gut gelaunt klemme ich meine Tasche unter den Arm und klopfe dem verdutzten Markus auf die Schulter.

Markus ist mir übrigens nicht böse. Er hasst mich nicht, er hält mich nicht für unkollegial oder erzählt herum, ich würde stinken oder so etwas. Im Gegenteil, ich habe den Eindruck, er nimmt jetzt generell Sachen, die ich sage, ernster. Wenn es ein Problem gibt, helfe ich, wenn ich kann und vor allem: Wenn ich will. Und ich werde besser! Als Lena mich fragte, ob ich ihr nicht den Praktikumsbericht schreiben könnte, habe ich keinen Augenblick gezögert: »Lieber hacke ich mir einen Arm ab«, antwortete ich, dann haben wir zusammen gelacht und die Sache war erledigt.

AFTER WORK

Wenn man es schon als eine echte Leistung ansieht, während der Arbeitszeit keinem Kollegen oder dem Chef an die Gurgel zu gehen, sind After-Work-Events eine recht absurde Veranstaltung. Ich meine, wer ist denn auf diese hirnverbrannte Idee gekommen? Hat sich da mal jemand nach einem Acht-bis-zehn-Stunden-Tag umgesehen und gesagt: »Also ich hätte total Lust, eure Gesichter auch noch die nächsten paar Stunden zu sehen!« Ist das technisch überhaupt möglich? Welche ungünstige Konstellation im Weltgeschick hat es eingerichtet, dass After Work überhaupt eine andere Definition bekommen hat als genau diese: *Nach der Arbeit*. Ich kann mal ein paar Sachen aufzählen, die ich gerne *nach* der Arbeit mache:

Nach Hause gehen, kochen, einen trinken gehen, durch den Park fahren, ein Eis essen, mit dem Kind spielen … es gibt circa eine Million Dinge, die ich gerne nach der Arbeit machen würde. Darunter fallen auch abwegige Sachen wie Traktor fahren, in einem Windkanal liegen oder Karpfen streicheln, aber nie, nie, nie wird in dieser Liste auftauchen: mit einer kichernden Mechthild und einem angeschwipsten Markus in der Gin-Bar um die Ecke sitzen. Ich weiß das so genau, weil ich genau dort schon mal saß. Als ich neu war in der Agentur, kam gerade die große Mode der *After-Work-Partys* auf. Das war wie In-den-Club-Gehen, nur schon um halb sieben statt um elf und mit Häppchen. Erfunden wurden die Veranstaltungen für Leute aus den hippen Branchen Beratung, Werbung oder Medien, die:

1. keine Familie haben, die mit dem Abendessen wartet und
2. pünktlich ins Bett müssen, weil am nächsten Morgen wieder ein hipper Arbeitstag ansteht.

Verschiedene Arbeitgeber kamen dadurch auf das schmale Brett, dass es doch viel effektiver wäre, wenn nur die betriebsinternen Mitarbeiter miteinander Häppchen äßen. So könnte während des Lachsbrötchens die interdisziplinäre Kommunikation verbessert werden, die Arbeitnehmer würden auch mal fachübergreifend über die betrieblichen Probleme und Aufgaben sprechen und das Beste: ohne dafür wertvolle Arbeitszeit zu vergeuden! Detlef hatte solche Treffen auch angeleiert, vornehmlich mit dem Ziel, den inneren Zusammenhalt zu stärken. Der Effekt war gegenteilig. Die einen waren beleidigt, dass sie erst kurz zuvor informiert wurden, die anderen sahen sich verpflichtet zu kommen, obwohl sie durchaus Familie hatten, einige hatten keinen Bock und kamen mit schlechter Laune (ich) oder fanden die Location blöd. Außerdem kam noch Mechthild. Die Veranstaltung war langweilig, alle sahen etwas ratlos aus und wussten nicht, was sie nun hier sollten – außer Häppchen essen. Vermutlich wäre die After-Work-Sache wieder sang- und klanglos vom Agenturboden verschwunden, aber dann passierte Folgendes: Ironischerweise tat Detlef etwas, was den inneren Zusammenhalt der Firma beträchtlich stärkte, allerdings ganz ohne Absicht: Er stellte einen neuen Geschäftsführer ein. Dieser Geschäftsführer benahm sich umgehend fast der gesamten Belegschaft gegenüber so unter aller Kanone, dass selbige in ihrem Hass fest zusammengeschweißt wurde. Nicht umsonst sagt ein altes chinesisches Sprichwort:

> Das Glück eines Dorfes hängt davon ab,
> dass es einen gibt, den alle hassen können.

Von da an trafen sich einige Mitarbeiter nach der Arbeit in der Gin-Bar, um gemeinsam Dampf abzulassen und auf den Geschäftsführer zu schimpfen. Ich war da herzlich und voller Elan dabei und schimpfte mit, was das Zeug hielt, und fühlte mich dadurch als Neuling voll integriert. Aber nach einiger Zeit war die Luft raus. Zum einen riss sich besagter Geschäftsführer am Riemen, zum anderen fand ich es irgendwann absurd, mich nicht nur in der Arbeit über ihn zu ärgern, sondern auch noch danach. Da werde ich ja nicht mal bezahlt für. Diese glorreiche Einsicht kam mir während eines After-Work-Umtrunks, und mit einem Mal sah ich mich wie ernüchtert in der Runde um und kam zu dem Schluss: Wir hatten nichts gemein außer den Schimpf. Mit Ausnahme von Mechthild und Markus, die nach dem zweiten Gin näher zueinanderrutschten. Ab da war ich raus.

Der harte Kern ist der Gin-Bar jedoch treu geblieben und hat den Freitag-Feierabend-Umtrunk in eine Art Institution verwandelt. Das ist auch dufte, und Mechthild und Markus (die M & M's) sind sich auch näher gekommen, aber ich will nicht mit. Ich will nach der Arbeit nicht über die Arbeit reden und auch nicht über Kollegen lästern, ich will nach Hause, den BH ausziehen und mit meinen Lieben sein.

Genau das, ohne den Teil mit dem BH, sage ich auch, beziehungsweise sage ich ab jetzt, denn bis dato habe ich mir freitags immer irgendeine Ausrede überlegt, in der Hoffnung, dass ich irgendwann einfach nicht mehr gefragt werde. Pustekuchen. »Heute ist Freitag! Du weißt doch, was das heißt?«, kommt mir freudestrahlend Sandra aus der Buchhaltung entgegen. »Morgen ist Samstag?«, versuche ich es augenzwinkernd, aber es hilft nichts: »Heute ist Gin-Tag, du kommst doch mit?«

Und dann atme ich einmal tief durch und sage es ihr einfach: Dass ich nicht mitkomme. Nicht heute und auch an keinem anderen Freitag, dass ich *after work* lieber nach Hause gehe und auch Gin nicht besonders mag. Es läuft noch etwas holprig, aber bereits beim Nächsten, der fragt (Dennis, IT), geht es flüssiger. Am Ende des Tages, als einer der Praktikanten die gleiche Frage stellt, bin ich schon bei: »Nope! Da kriegen mich keine zehn Pferde hin, aber viel Spaß!« Das Leben kann so einfach sein.

AUFOPFERN

Es ist so ähnlich, wie an den Weihnachtsmann oder den Osterhasen zu glauben: Der Glaube an die Annahme, dass wenn man sich nur hart genug abrackert, der Chef sich das schon merken und zu gegebener Zeit honorieren wird: ein verbreiteter Irrglaube, der zur Folge hat, dass Heerscharen von Arbeiternehmern Aufgaben übernehmen, die sie nicht wollen, für die sie nicht zuständig sind oder für die sie überqualifiziert sind. Wenn der Chef ein Arschloch ist, nutzt er diesen Glauben auch noch geschickt aus. Als ich Jana kennenlernte, arbeitete ich in einer Produktionsfirma als ›feste Freie‹, was so viel heißt wie angestellt, aber mit unsicherem Gehalt, ohne Urlaub und man muss sämtliche Kosten für Versicherungen, Krankheit und Altersversorgung selber tragen. Jana machte ein Jahrespraktikum in derselben Firma, das heißt, sie arbeitete Vollzeit, aber ohne Geld dafür zu bekommen. Unsere Chefin und Inhaberin der Produktionsfirma war eine begeisterte Verfechterin dieses Beschäftigungssystems. Sie schaffte es außerdem, dass wir nicht nur dankbar und froh waren, bei ihr arbeiten zu dürfen, wir hatten sogar ein schlechtes Gewissen, wenn wir ausnahmsweise mal keine Überstunden machten. Aber wenn eben so viel zu tun war – was wäre sie nur ohne uns ... Sie war ein manipulatives Miststück. Uns dämmerte, dass irgendetwas schieflief, aber es brauchte eineinhalb Jahre, bis wir uns aus der Firma verabschiedeten und großkotzig auf einen Stundenlohn von zwanzig Cent pfiffen. Das kann passieren: Man gerät an einen Chef, der nicht gerecht, nicht hilfreich und nicht gut ist, sondern ein Arsch.

Oder, wie im Fall von Detlef, man gerät an einen Chef, der zwar reizend ist, aber extrem vergesslich:»Du könntest auch mal helfen, eine Präsentation vorzubereiten!« Wenn ich dann kontere: »Ich habe die letzten zehn Präsentationen ganz alleine vorbereitet!«, kommt von Detlef:»Ach?« – Und würde ich noch hundert Präsentationsvorbereitungen machen, ihm würde es nicht auffallen. Es gibt kein Arbeits-Karma-Konto, das irgendwann ausgeglichen wird, insofern macht es auch keinen Sinn, darauf einzuzahlen wie eine Bekloppte.

SCHULD

Schuld ist auch im Job ein Thema, zum Beispiel gegenüber Kollegen. Schuldgefühle kann man selber generieren, sie können aber auch gezielt von anderen eingesetzt werden. Ein Highlight in dieser Disziplin hat ein ehemaliger Kneipenwirt zum Besten gegeben, bei dem ich während des Studiums gejobbt habe. In der Kneipe war es normal, Schichten zu tauschen oder einzuspringen, wenn jemand ausfiel, das war kein Problem – das Problem war, dass wir permanent unterbesetzt waren und es einer Katastrophe gleichkam, wenn eine Bedienung kurzfristig absagte. Nachdem ich schon eine Prüfung in ein anderes Semester verschoben hatte, um, statt zu lernen, BWL Studenten Weißbier zu servieren, trat ich auf die Bremse:»Ich kann nicht mehr so viele Extra-Schichten machen, ich muss auch noch studieren«, brachte ich recht klar mein Anliegen zum Ausdruck, was der zuständige Kneipenchef so konterte:»Aber dann müssen deine Kollegen ja NOCH mehr arbeiten – da ist ja auch eine alleinerziehende Mutter dabei!«

Die Fakten stimmten soweit: Wäre ich weg, müssten die anderen mehr arbeiten, und es stimmte auch, dass Sonja eine alleinerziehende Mutter war, der man nicht noch mehr aufbürden wollte. Fakt war aber auch, dass er einfach mehr Leute hätte einstellen müssen, und das wollte er nicht. Stattdessen machte er sein Problem lieber zu meinem und damit ich anbiss, pflanzte er mir ein paar schöne Schuldgefühle ein. Erst als er den Führerschein verlor und ich noch das Einkaufen im Großmarkt übernehmen sollte, knallte ich ihm die Schürze vor die Füße. Dass er nun vermutlich den Laden dichtmachen könne und alle auf der Straße stünden, hatte seiner Ansicht nach alleine ich zu verantworten – nicht etwa er, der den Führerschein verloren hatte, weil er mit zwei Promille am Steuer vor einer roten Ampel eingeschlafen war und die Polizei ihn dort weckte.

Sie erkennen den Mechanismus? »Schuld am Arsch vorbei«, sage ich.

ANDEREN ARBEIT BEREITEN

Andere, sehr schöne Momente der Schuld im Job erlebe ich, seit wir in der Agentur Praktikanten haben, die uns zu Diensten sein müssen. Diese werden, im Gegensatz zu Jana damals, normal bezahlt, sie sind auch richtig gut gelaunt und durch die Bank reizend – und da haben wir schon das Problem: Die sind so nett, denen will man gar keine Arbeit machen! Ich habe es zunächst gar nicht bemerkt, aber dann stand ich eines Tages am Kopierer neben zwei Praktikanten und die guckten mich an, als hätte ich sie nicht alle. Statt nämlich ›meine‹ Praktikantin Lena zum

Kopieren zu schicken, machte ich ihr lieber keine Umstände und erledigte das selbst – während Lena im Internet surfte. Seither gebe ich dahingehend mehr acht und habe mich schon in folgenden Situationen erwischt:

- Ich bringe ihre Entwürfe ›schnell‹ selbst in Ordnung, statt sie ihr mit der Bitte um Korrektur zurückzugeben.
- Ich lasse sie pünktlich gehen, auch wenn noch was zu tun ist und mache das dann alleine.
- Ich räume am Ende des Tages ihren Schreibtisch auf, bevor ich gehe.
- Ich bringe ihr was vom Metzger mit.

»Deine Praktikantin möchte ich auch sein«, grinst mich L. an, als ich ihm von meinen Beobachtungen berichte.

»Bakti-Tanten!«, freut sich das Kind. Wir sind alle dabei, das Wohnzimmer aufzuräumen – wie jeden Abend, an dem das Kind zuvor wie ein Mixer ohne Deckel Spielzeug quer über den Raum verteilt hat.

»Du musst auch mithelfen, du kannst schon mal die Legos in die Kiste räumen«, versuche ich das Kind zu animieren, und das geht ganz gut. »Und jetzt bringen wir noch die Stofftiere ins Bett«, machen wir weiter, und am Ende strahlt das Kind stolz: »Geschafft!« Ein Goldkind.

Dann zieht das Goldkind selbstständig seine Schuhe aus. Das erste Mal. »Wow«, reiße ich die Augen auf, »seit wann kann es das denn?« L. grinst über beide Ohren. »Das hat es die letzten Tage geübt«, und mit einem Quieken streckt mir das Kind seine Schuhe entgegen. Die letzten Tage war es L., der ihn von der KiTa abgeholt und an- und ausgezogen hat, und er hat ihm − anders als ich − Zeit gelassen, die Dinge selbst zu machen. Es stimmt schon − wenn das Kind anfängt, an etwas herumzunesteln, nehme ich es ihm viel zu schnell ab. Wie bei meiner Praktikantin. Die Einsicht lässt mich am nächsten Arbeitstag nicht los. Praktikantin Lena ist zwar bedeutend größer als das Kind und drückt sich auch viel verständlicher aus, aber: Heimlich nutze ich dieses mütterlich-wohlwollende Gefühl, um ihr, ganz ohne schlechtes Gewissen, Arbeit zu bereiten, sie Dinge noch mal machen zu lassen, sie zum Kopieren und zum Metzger zu schicken. Wüsste ich nicht, dass ich mir heimlich vorstelle, sie wäre ein Kind, ich würde sagen: Ich bin die geborene Chefin!

Im Beruf gibt es eine Million Stolpersteine, prüfen Sie sich ruhig einmal selbst:

- Ich möchte anderen keine *Arbeit/Umstände* machen.
  ☐ Ja ☐ Nein

- Ich habe das Gefühl, ich muss mich unersetzlich machen, damit man mir nicht kündigt.
  ☐ Ja ☐ Nein

- Ich traue mich nicht, Nein zu sagen.
  ☐ Ja ☐ Nein

- Ich will mir die Sympathie von *Kollegen/dem Chef* erarbeiten.
  ☐ Ja ☐ Nein

- Ich mache Dinge, die ich nicht will, in der Hoffnung, sie werden in der Zukunft ausgeglichen oder honoriert.

  ☐ Ja   ☐ Nein

- Ich übernehme Aufgaben, für die ich überqualifiziert bin.

  ☐ Ja   ☐ Nein

Und dann: *Óle!*

5. ELTERN & KINDER

- Ratschläge am Arsch vorbei
- Geschmack am Arsch vorbei
- Normen am Arsch vorbei
- Pläne am Arsch vorbei
- Die anderen Eltern am Arsch vorbei
- Das Bemühen um Verständnis von kinderlosen Freunden – am Arsch vorbei

Eine Schwangerschaft ist eine Zeit, in der man sich völlig ungeniert alles am Arsch vorbeigehen lassen kann. Ein simples »Mir ist nicht danach« ist plötzlich eine völlig legitime Ausrede. Für alles.

Es ist ein neunmonatiger Crash-Kurs in Sachen Am-Arsch-Vorbei. Das ist schon technisch nicht anders möglich: Würde man sich nicht neunzig Prozent aller Kommentare, Ratschläge und Reaktionen am Arsch vorbeigehen lassen, würde man schlichtweg explodieren.

Während die Nachbarin einem von der einzig wahren, weil natürlichen Geburt zu Hause in der Badewanne vorschwärmt, weiß Schwiegermutti zu berichten, dass eine Hausgeburt den sicheren Tod des Kindes bedeute und den Hund müsse man übrigens auch schleunigst weggeben, aus dem gleichen Grund. Eine Freundin deklariert dafür, dass der Hund zwar bleiben dürfe, aber eine Decke im Babybett dafür saugefährlich sei.

Alle Seiten belegen ihr Wissen mit Beispielen, von denen sie mal gehört haben und die sich in Sachen Gruseligkeit gegenseitig überbieten.

Und während man selbst noch gar nicht fassen kann, dass man einen zweiten Strich auf den Schwangerschaftstest pinkeln kann, können die potenziellen Omas und Opas schon darüber streiten, ob das Kind Abitur machen muss oder nicht.

Was viele nicht wissen: Dieses *selige Lächeln* von Schwangeren, von dem alle reden, ist ein *Lächeln-und-Nicken* gegenüber wohlmeinenden Ratgebern. Eine Art »Leck-mich-am-Arsch« für Schwangere, die einzige Möglichkeit, nicht wahnsinnig zu werden.

Wunderbarerweise muss man dazu weder Vor- und Nachteile abwägen oder einen Beschluss fassen oder etwas ähnlich Verkopftes tun, um zu dieser Einstellung zu gelangen: es geht von ganz alleine.

Es kommt beispielsweise relativ schnell der Punkt, an dem man selbst noch ein paar von diesen leckeren Häppchen in sich hinein spachtelt, während das Umfeld erregt darüber diskutiert, welcher Käse und welche Wurst nun für Schwangere ok sind und welche nicht.

Besonders praktisch ist so eine Schwangerschaft für diejenigen, die sich damit schwertun, die eigenen Bedürfnisse vorne anzustellen, und im Gegenteil eher bemüht sind, es allen anderen recht zu machen. Dadurch, dass sich automatisch das Baby den Platz Nummer Eins sichert, verbannt man den Rest der Welt auf seinen angestammten Platz, der da ist: ein bisschen weiter hinten. Für manche eine völlig neue Erfahrung!

Am Arsch vorbei geht einem dann ganz ohne Anstrengung, dass alle in der Kinoreihe aufstehen müssen, nur weil man zum zweiten Mal UNBEDINGT auf die Toilette muss. Jemand anderes ist viel wichtiger als die Leute in der Kinoreihe und dieser jemand springt eben gerade auf der Blase herum.

RATSCHLÄGE AM ARSCH VORBEI

Das Gemeine an Ratschlägen in der Schwangerschaft ist, dass die werdenden Eltern nur das Beste für ihr Kind wollen und damit tendenziell ein offenes Ohr für Unsinn haben. Mir hat während der Schwangerschaft meine damalige Schwägerin erzählt, ich solle keine Ananas essen, die könnte zu einer Fehlgeburt führen. In einigen Ländern würden Ananas sogar als Abtreibungsmittel eingesetzt! Ananas! Ich liebe Ananas! Und obwohl die Hebamme sagte, ich müsste schon 7,5 Tonnen Ananas verdrücken, damit sich die bemerkbar machten, rührte ich die ganze Schwangerschaft keine mehr an. Wenn ich zurückblicke auf die Schwangerschaft, dann waren während der ganzen Zeit nur zwei Ratschläge wirklich etwas wert, nämlich die von meinem Freund Josh:

1. »Hör nicht auf Ratschläge!« und
2. »Guck ab dem zweiten Trimester nicht mehr *Alien*!«

Wobei ich Ratschlag Nummer 2 erst im Nachhinein zu schätzen wusste, nachdem ich DOCH Alien geguckt hatte und dann die ersten Tritte des Babys nicht gänzlich unbeschwert genießen konnte.

Welche Ratschläge sich werdende Eltern besonders explizit am Arsch vorbeigehen lassen können:

Alles zum Thema *Essen*
Essen ist nämlich gar nicht das Problem – Schwangere dürfen keinen Wein trinken und das ist das wirklich Schlimme. Das bleibt übrigens so, wenn man stillt. Verdammt.

Alles zum Thema *Körpernorm*
Das wäre beinahe ein ähnliches Fiasko geworden wie die Sache mit der Ananas: Boooaaah, in welchem Monat bist du? Dafür ist dein Bauch aber ganz schön *groß / klein / ... / weit unten / rund*! Wenn das öfter als einmal passiert, wird man unter Umständen unsicher. Dann nicht nachgeben! Direkt am Arsch vorbeizischen lassen! Fragen über die Gewichtszunahme verstummen übrigens schlagartig und dauerhaft, wenn man die Frage zurückgibt!

Der Rat: *Schlaf jetzt, wenn das Kind mal da ist, kommst du nicht mehr dazu!* Ich meine, was soll das? Denkt wirklich irgendjemand, man würde sich ins Bett legen und schlafen, weil man in zwei Monaten zu wenig Schlaf bekommt? Dann kann man ja heute Nacht auch durchmachen, weil man 1984 ein ganzes Wochenende im Bett geblieben ist!

Alles zum Thema *Vornamen*
Um dem Kind einen anständigen Namen zu verpassen, wälzen die zuständigen Elternteile gemeinhin ein paar Meter Namensbücher und einige hundert Webseiten. Es wird nach Namen gesucht,

die zeitlos und klassisch, aber nicht überkandidelt sind, kurz sind und süß, aber nicht doof klingen, zu ihrem Nachnamen und zum Geschlecht des Kindes passen, nicht zu häufig vorkommen, aber auch nicht exotisch sind. Dann sieht man sich die Auswahl an und bemerkt, wie viele Leute mit den aufgeschriebenen Namen man nicht leiden kann. Diese Namen fallen raus. Außerdem die Namen, die durch ein anderes Familienmitglied oder ein Haustier besetzt sind. Wenn man großes Glück hat und dann ein Name übrig bleibt, besteht eine hohe Wahrscheinlichkeit, dass der Partner just diesen schrecklich findet. Wenn dann tatsächlich irgendwann ein Kompromiss gefunden ist, gibt es immer mindestens einen Freund / eine Freundin, die sagt:

»Also ich weiß nicht – ich finde, der Name klingt irgendwie altmodisch / blöd / langweilig / nach Hundename ...«

Und zack!, geht die Sucherei wieder von vorne los.

Führen Sie sich einfach kurz vor Augen, dass der Geschmack des besagten Freundes auch für dessen hässliche Hemden und die Xavier Naidoo-CDs zuständig ist, dann geben Sie vielleicht automatisch nicht mehr so viel darauf.

Alles zum Thema *Geburt*

Ein Babybauch löst bei fremden Frauen oft ein dringendes Mitteilungsbedürfnis hinsichtlich erlebter Geburten aus. Diese waren in der Regel unglaublich schmerzhaft, voller Komplikationen, und die Wehen haben mehr als eine Million Stunden gedauert. Diese Geburtsberichte sind eine Art Schwanzvergleich unter Müttern. Sofern es noch geht: zur Seite springen und am Arsch vorbeigehen lassen. Ihre Geburt wird ganz anders.

Und alles *andere*

Die Hinweise der Lieben (und der Nicht-so-Lieben) entbehren mitunter nicht einer gewissen Komik. Eine kleine Umfrage im Bekanntenkreis hat diese Blüten hervorgebracht:

- Von Kati, schwanger im 8. Monat, gehört von ihrer Mutter: »Ihr dürft doch jetzt noch nichts für das Kind holen, was ist, wenn noch was passiert? Dein Mann kann alles besorgen, wenn du im Krankenhaus bist.«
- Von Laura, gehört von ihrer Schwiegermutter: »Du kannst doch 2 Wochen nach der Geburt ein Wochenende wegfahren, das Kind kann hier bleiben, du musst ja nicht so eine Glucke werden.«
- Von Nele, gehört von einer Nachbarin: »Wenn du eine PDA machen lässt, wirst du immer Kopfschmerzen und Rückenschmerzen haben und dann kannst du dein Kind nicht mehr baden!«
- Von Rita, gehört von ihrer Tante: »2–3 Liter am Tag trinkst du? Himmel, trink nicht so viel, das Baby ertrinkt sonst noch.«

Erweitern Sie hier ruhig die Liste mit Dingen und vielleicht auch Personen, die Ihnen ganz speziell in der Schwangerschaft am Arsch vorbeigehen können:

- _____
- _____
- _____

GESCHMACK AM ARSCH VORBEI

Sachen für das Baby einzukaufen, ist eine großartige Sache. Es ist Euro gewordene Vorfreude. Das Bettchen (darin wird es liegen!), ein Schnuller (daran wird es nuckeln!) oder Mulltücher mit niedlichen Motiven (darauf wird es kotzen!): Es ist herrlich. Es macht diese völlig absurde Vorstellung, dass man ein Baby bekommt, etwas realer, anfassbarer.

Dank Pinterest hatte ich auch eine ganz genaue Vorstellung, wie Babyzimmer, Ausstattung und Baby auszusehen hätten, Farbtöne, Muster, Windelmarke, alles war in meinem Kopf bereits fix und fertig. Nach eingängigem Studium der Bilder dort war mir außerdem klar: Ohne einen geschwungenen Schriftzug seines Namens aus Holz über der Wiege würde das Baby nicht schlafen können. Ich lernte, dass Bärchen und Häschen als Motive auf Stramplern und Accessoires für das Baby out sind und dafür Füchse und Eulen angesagt sind. Ebenfalls unerlässlich: eine bunte Wimpelkette, die man in eine Ecke des Babyzimmers hängt. Und noch während ich in Gedanken die Farbkombis lichtgrau-senf und türkis-gelb gegeneinander abwog, kamen die ersten Päckchen der aufgeregten Großmütter in spe bei uns an. Darin waren Dinge, die noch nie irgendjemand auf Pinterest gestellt hatte. Die Antipoden zu allem, was mir persönlich gefiel. Symbolisch für diesen Umstand saßen sich sodann auf dem zukünftigen Wickeltisch ein Plüsch-Winnie Puh in hellblau-rosa von der Schwiegermutter und ein grau-blau gestreifter Wal von mir gegenüber und starrten sich an. Manchmal summte ich die Melodie von ›Spiel mir das Lied vom Tod dazu‹, wenn ich sie da sitzen sah.

Als schließlich klar war, dass das Baby ein Junge wird, wollte uns die Schwiegermutter im Voraus und reizenderweise die komplette Erstausstattung schenken: Badetücher, Strampler, Bodys, das ganze Zeug. Ich konnte in letzter Minute einen Deal aushandeln: Wir würden die Sachen gemeinsam besorgen. An besagtem Tag wackelte ich mit Mann und Bauch in Richtung Stadtzentrum, summte leise ›Auf in den Kampf Toreeeeero …‹ und hatte mich schon innerlich auf einen harten Fight eingestellt:

Schwiegermutter:»Hier! Hellblaue Nicki-Bärchen-Strampler!«

Ich:»Hinfort! Ich will Eulen-Pump-Hosen!«

Dann lägen wir uns in den Haaren und boxten uns durch den Laden, dass die aufgestellten Kinderwägen wie Dominosteine umfielen. L. war mir dahingehend überhaupt keine Hilfe, weil er die Brisanz der Entscheidung zwischen Eulen und Bärchen schlichtweg nicht verstand.

Als wir in dem Laden ankamen, scharrte die Schwiegermutter schon mit den Hufen, im Arm einen großen Einkaufskorb, im Blick den festen Entschluss, ihn zu füllen.

»Ich habe so niedliche Mützchen gesehen«, strahlte sie uns an und schon hakte sie sich bei mir unter und zog in eine Richtung. Die Mützchen waren – mittel, aber der Schwiegermutter war schon etwas Neues ins Auge gestochen und sie zog dorthin: eine Häkelkombi in hellblau.

»Süüüß«, schwärmte sie und hielt es in die Höhe. Es war grässlich. Also nicht nur einfach ›nicht so schön‹, sondern ein Alptraum in hellblau. Ich war mit dem festen Entschluss gekommen, knallhart alles zurückzuweisen, was mir nicht gefiel. Dies war mein erstes Kind und es würde wohl auch mein einziges bleiben, da sollte alles perfekt sein, in lichtgrau-senf oder türkis-gelb.

Dann geschah etwas Eigenartiges:

Als ich die Schwiegermutter mit ihrer Häkelkombi ansah, schmolz mein grummeliger Widerstand dahin wie Schnee in der Sonne. Es ist schwer, jemandem, der vor Begeisterung glüht, ebenjene zu verleiden. Ich musste lächeln, weil so viel Glück und Freude aus ihren Augen strahlte. Mir wurde warm ums Herz, denn man konnte sehen, wie sehr sie sich auf ihren einzigen Enkel freute. Fragend hielt sie mir die Kombi hin:»Was meinst du?« und ich gab ihr einen Kuss.»Perfekt«, sagte ich. (Und schmuggelte dann noch eine Eulen-Pumphose dazu.)

Es gibt in dieser Geschichte viele mögliche Kandidaten für ein Arsch-Vorbei. Es kann Ihnen zum Beispiel die Schwiegermutter am Arsch vorbeigehen. Das ist, je nach Schwiegermutter, nicht immer die schlechteste Wahl. Sie können dann die türkis-gelben Sachen besorgen und es wird bestimmt auch toll aussehen, aber ich erzähle Ihnen was: Immer wenn das Kind später die hellblaue Häkelkombination trug, musste ich lächeln, weil das Ding diese schöne Erinnerung hervorrief, als ich die ganze Liebe und Vorfreude auf dem Omi-Gesicht sehen konnte. Das ging bei den Eulen-Pumphosen nicht.

NORMEN AM ARSCH VORBEI

Ist das Kind erst mal da, kann man relativ beruhigt sein: Man macht es eh falsch. Alles. Dafür hat man ein ganzes Heer an Spezialisten an der Seite, die einem sagen können, wie man es richtig macht: alle Mitmenschen, die selbst Kinder haben, sowie alle Mitmenschen, die keine haben. Bereitwillig sind sie mit Rat und Tat zur Stelle, egal, um welches Thema es sich dabei handelt − allerdings ist jedes dieser Themen auch gleichzeitig ein Minenfeld:

Stillen oder Fläschchen – BÄNG! Wenn stillen, wann abstillen – BÄNG! Wie und wo schlafen – BÄNG! Fremdbetreuung – BÄNG! Erziehung – BÄNG! Wieder voll arbeiten gehen – BÄNG! Impfen – DOPPELBÄNG!

Dabei verteidigt ein jeder das Weltbild, das er für richtig hält, und davon gibt es in etwa so viele wie Menschen auf der Welt. Das Blöde an der Sache: Nichts davon geht einem am Arsch vorbei und über jedes dieser Themen müssen sich alle Elternteile irgendwie klar werden und das dann miteinander abstimmen. Das ist anstrengend. Man kann sich noch nicht mal auf den heutigen Wissensstand als Maß aller Dinge verlassen – der ultimative Erziehungsratgeber von 1934 zum Beispiel empfahl den damaligen Müttern als ultimativen Wissensstand ihre ›tyrannischen‹ Säuglinge zu bändigen, indem sie ihnen nicht zu viel Nähe und Aufmerksamkeit widmeten. Schreien und Weinen stärke außerdem die Lungen und aus diesem Grund könne ein sattes, gewickeltes Baby problemlos die Nacht über allein gelassen werden. Da war es von Vorteil, wenn eine Mutter es mit den damals neuesten Erkenntnissen nicht ganz so genau nahm und auf ihren Bauch hörte. Noch heute bricht meine Mutter fast in Tränen aus, wenn sie sieht, wie ich mit meinem Kleinen schmuse – einfach weil sie sich das selbst zu meinen Babyzeiten verboten hat und es im Nachhinein vermisst. Es war einfach ›nicht üblich‹, die Kleinen so zu ›verzärteln‹. Kurzum – es ist für Eltern nicht einfach, sich zu allem eine Meinung zu bilden, aber die meisten versuchen ihr Bestes. Und dann kommen die Mitmenschen aus den Schlaubergen, die irgendwo gelesen / gehört haben, dass …

Damit einem dann die Augen vor lauter Augenrollen nicht in den Hinterkopf fallen oder man vielleicht sogar einen Groll

entwickelt, hilft es, sich in Erinnerung zu rufen, dass die Leute
es gut meinen. Manchmal wissen sie auch einfach nicht, wie sie
ansonsten ihre Hilfe, ihre Anteilnahme und ihre Liebe anbringen
können. Es ist nicht immer nur Besserwisserei oder mangelndes
Vertrauen in die Fähigkeiten der jungen Mutter, sondern auch
eine hilflose und daher etwas rührende Freundlichkeit. Eine gute
Möglichkeit, dem Einhalt zu gebieten, ist das theoretische Pala-
ver in den gegenwärtigen Moment zu holen. Fragen Sie doch
eine bestimmte Sache, mit der Sie tatsächlich Schwierigkeiten
haben – das Baby hat eine verstopfte Nase und kann nicht schlafen, es schreit immer beim Anziehen, was auch immer: Vielleicht
ist ein guter Tipp dabei!

Meine Lieblingsmöglichkeit ist aber immer noch: »Hier, halt
mal!« Wer ein Baby auf dem Schoß hat, hört sofort auf mit theo-
retischen Vorträgen und macht dafür »Gutzigutziguuuu«. Das
niedlichste Arsch-Vorbei, das es gibt.

Eine Fraktion gibt es allerdings, die lasse ich mit Vergnügen
und mitleidlos an meinem Arsch vorbeiflitzen: es ist die Fraktion:
Hatten wir damals nicht, brauchst du auch nicht.

Was ist das für ein Argument? Ich verstehe es nicht! Das erste
Mal habe ich diesen Satz gehört, als ich einen Windeleimer gekauft habe. Er hat einen Klapp-Mechanismus, durch den verhin-
dert werden soll, dass man beim Betreten der Wohnung bereits
riechen kann, ob das Kind heute schon gekackt hat oder nicht.
Eine Bomben-Erfindung, finde ich.

Beim ersten Besuch von Tante Marta habe ich es dann gehört:
»So einen Schmarrn gab's früher auch nicht und es ging auch.«
Da war ich erst mal baff – auf so eine Argumentation muss man
ja auch erst mal kommen!

Wäre Tante Marta dabei gewesen, als so ein Schlaumeier das Rad erfand, was hätte sie etwa gesagt?

- So schnell waren wir nicht, so schnell braucht kein Mensch werden!
- Rollen! Als wenn Tragen so schlecht wäre!
- Wie sollen sich denn da jetzt die ganzen Vierecke vorkommen?

Ich verstand es einfach nicht. Kackeduft in der Luft oder kein Kackeduft in der Luft, was gibt es da zu deuteln? Die Vorlage für die Rache lieferte selbige Marta dann prompt selbst – indem sie von ihrer Hüftoperation erzählte. Marta hat nämlich eine neue Hüfte, die alte war durch. Gerade als sie nicht ohne Stolz erzählte, dass diese Hüfte aus doppelt gehärtetem Kobalt-Chrom-Irgendwas besteht, war es an der Zeit: Ich schlürfte einen Schluck Kaffee und erklärte ihr: »So einen Schmarrn gab's früher auch nicht und es ging auch.«

Habe ich Tante Marta vor den Kopf gestoßen? Mag sein. Aber Angestoßen-Haben am Arsch vorbei, so einen Quatsch höre ich mir doch nicht an.

Vor ein paar Wochen habe ich übrigens eine ehemalige Klassenkameradin getroffen. Sie ist im vierten Monat schwanger und hat sich gerade einen ›Angelsound‹ gekauft. Das ist ein ›Ultraschall-Fetaldoppler‹, also ein Gerät mit niedriger Ultraschallfrequenz, mit dem man zu Hause die Herztöne des Babys abhören kann. Und ich bin voll reingetappt: »Also sowas gab's bei mir damals auch nicht und ...«

PLÄNE AM ARSCH VORBEI

Lassen Sie uns das Kapitel ›Pläne‹ aufteilen in zwei Unterkapitel:

1. Pläne, die Schwangerschaft und das Baby/Kind betreffend
2. Pläne, alles andere betreffend

Diejenigen Pläne, die Sie sich getrost am Arsch vorbeigehen lassen können, sind alle Pläne aus der Kategorie 1 sowie alle Pläne aus der Kategorie 2.

Im Ernst: Es bringt nichts. Zum Glück wächst man in diese Wahrheit langsam hinein, sodass es dann später keine Überraschung ist, wenn der Nachwuchs doch nicht anfängt zu studieren, sondern lieber NOCH EIN JAHR in der Kneipe jobbt.

Ich habe an sich nichts gegen Pläne, Pläne sind toll! Ich habe immer jede Menge Pläne gemacht. Als ich schwanger war, sogar mehr denn je: Ich plante und plante und plante: Ich plante, mit einem riesigen Bauch auf einem Liegestuhl auf dem Balkon zu liegen und Smoothies zu trinken; ich plante, bis kurz vor der Geburt zu arbeiten, ein Babyzimmer samt Erstausstattung in minz-gelb einzurichten (siehe oben) und dann machte ich den größten aller Pläne: den Geburtsplan.

Nach der geplanten Geburt (die im Wasser stattfinden sollte, ohne Schmerzmittel und mit Hintergrundmusik von Jack Johnson) plante ich außerdem unsere ersten Ausflüge im Kinderwagen. Ich stellte mir vor, wie schön es bei uns zu Hause wäre, wenn ich nun für ein paar Monate ›nur‹ Hausfrau und Mutter sein würde. Ich sah mich mit dem Kinderwagen in Straßencafés sitzen und ausgiebig shoppen gehen, ich würde einen dieser

Mutter-Kind-Pilates-Kurse besuchen und am Sonntag lägen L. und das Baby und ich im Bett und alberten herum. Ha. Ha. Ha.

Es fing schon in der Schwangerschaft an: Als ich einen großen, runden Bauch hatte, war an Liegestühle nicht mehr zu denken. Zum einen hatte ich die Befürchtung, nicht mehr allein von da hochzukommen, zum anderen war die leicht nach hinten liegende Position eine Art Startsignal für das Baby, sich aufzuführen wie eine Horde wilder Affen. Den ersten und letzten Smoothie spie ich mit solcher Verve aus mir heraus, dass ich bis heute keinen mehr angerührt habe – auch aus Rücksicht auf die Nachbarn unter uns, auf deren Balkon der erste landete.

Bis kurz vor der Geburt zu arbeiten, ging auch nicht, weil mein Hirn sich in eine Schale warmen Kartoffelbrei verwandelt hatte: Ich konnte mich keine fünf Minuten konzentrieren und es passierten so Dinge, dass ich nach dem Einkaufen die Geldbörse ins Tiefkühlfach aufräumte oder die Flasche Wasser in meiner Hand einfach fallen ließ – weil das Glas gefüllt war. Kurzum, ich war geistig nicht voll auf der Höhe.

Der größte Scherz von allen aber war der Geburtsplan. Ein Widerspruch in sich. Im Nachhinein ist mir völlig schleierhaft, warum Krankenhäuser so etwas überhaupt anbieten, ich vermute, das soll einen guten Eindruck machen. Man kann einfach im Vorfeld nicht abschätzen, was einem guttut. Mir tat es zum Beispiel wahnsinnig gut, während der Wehen auf L. zu schimpfen, und keine zehn Pferde hätten mich in eine Badewanne gekriegt. Sowas kann man ja nicht mal in einen Geburtsplan schreiben ....

Als ich mich im nächsten Level der Wehen befand, das ist das Level, in dem man so laut stöhnt, wie man das aus Filmen kennt, konnte ich nicht mal mehr schimpfen, und als es dann noch etwas schlimmer wurde, rief ich nach Schmerzmitteln. »Aber in Ihrem Plan steht, Sie wünschen keine Schmerzmittel, sondern eine natürliche Geburt«, flötete mich eine junge, blonde Hebammenschülerin an und rannte dann doch los, als ich ihr versprach, ich würde ihr den Arsch bis zum Hals aufreißen, wenn sie nicht sofort etwas Stoff hier anbrächte. Allein die Vorstellung, ich hätte mir Jack Johnson-Lieder anhören müssen, während ich in Gedanken mitzählte, bis das nächste Mal der Schmerz explodierte – gut möglich, dass den CD-Player ein trauriges Schicksal ereilt hätte.

Diese Erfahrungen gaben mir einen Vorgeschmack auf die Pläne, die ich noch so in petto hatte und aus denen samt und sonders nichts wurde. Meine Pläne ließen nämlich einige Dinge außer Acht, zum Beispiel den sogenannten Wochenfluss, der nicht umsonst so heißt und wegen dem ich auf dicken Schichten aus Mull zu Hause im Bett lag, statt meinen Kinderwagen durch die Frühlingssonne zu schieben. Vermutlich heißt es deswegen auch WochenBETT und nicht WochenSPAZIERGANG. Meine Pläne hatten noch etwas nicht berücksichtigt, nämlich das Baby. Es stellte sich heraus, dass das Baby shoppen und Straßencafés überhaupt nicht leiden konnte. Ich konnte mit dem Baby nur an Cafés und Läden vorbeigehen. Auch meine Sonntagspläne gingen ganz anders aus als gedacht: L. albert zwar mit dem Baby herum, aber im Wohnzimmer, damit Mama nämlich mal ausreichend Schlaf bekommt. Und wie es bei uns zu Hause aussah, seit ich ›nur‹ Hausfrau und Mutter war, spottete jeder Beschreibung. Und wenn andere Mütter hundertmal Bio-Marmeladen einkochen, Babykleidung nähen und gleichzeitig das Haus dekorieren: Jeder Tag, an dem ich geduscht und angezogen war, galt als ein Erfolg! Nicht mal das mit dem Pilates-Kurs hat geklappt: Er fiel zeitmäßig genau in den Mittagsschlaf des Babys. Aus diesen und ungefähr hundert anderen Situationen habe ich gelernt: Pläne sind für den Arsch. Und der ganze Stress, den man sich macht, damit sie sich erfüllen erst recht. Endlich mache ich das, was die Buddhisten schon immer predigen: Ich genieße den Moment und nehme, was kommt.

DIE ANDEREN ELTERN AM ARSCH VORBEI

Ich bin bis jetzt extrem begeistert von der Sache mit dem Kind. All die Dinge, vor denen mich die Welt gewarnt hatte, die ich dann ›schon sehen‹ würde, wenn das Kind mal da ist, wie zum Beispiel zu wenig Schlaf oder zu wenig Zeit für etwas anderes, fand ich nicht so schlimm. In dem Moment, in dem ich mich nach dem Kind richtete und wenn nötig auch mal zwei Tage mit ihm im Bett blieb, flutschte es ganz gut. Vor was ich aber nicht gewarnt wurde, war die Wucht, mit der so ein Kind einen aus der Bahn wirft.

Das ganze Leben ändert sich – heißt es schlicht. Jetzt weiß ich, was damit gemeint ist. Dass es nicht darum geht, dass man weniger Schlaf bekommt oder nicht mehr spontan verreisen kann, sondern um etwas, was einem niemand vorher vermitteln kann: Dass die Geburt eines Babys eine Wunde im Herzen hinterlässt, die einen für immer verwundbar macht. Dass das eigene Leben plötzlich weniger wichtig ist als das dieses Babys und dass es keinen Moment im Leben mehr geben wird, in dem man nicht bei ihm ist – egal wo man sich befindet. Dass man nie mehr Schlagzeilen lesen wird, ohne zu denken: *Und wenn das mein Kind wäre?* Dass das Glück eines anderen Menschen wichtiger ist als das eigene und dass das Schlimmste an einem zu kurzen Leben die Zeit wäre, die man im Leben des Kindes verpasst. Dass das eigene Herz so viel größer ist, als man es sich jemals hätte vorstellen können. Das, und dass man selbstverständlich ein paar Tage ohne zu duschen auskommt.

Das ist alles toll und überwältigend, aber trotz meiner großen Begeisterung für die Sache mit dem Kind gibt es den einen oder anderen Nachteil, zum Beispiel: die Eltern anderer Kinder.

Zu Beginn tauchen die noch alleine auf, nämlich als andere Schwangere. Wenn der Bekanntenkreis nicht mitzieht in Sachen Kinder kriegen, dann hat man Kontakt zu anderen Schwangeren spätestens im Geburtsvorbereitungskurs. Das ist so wie in der Schule früher: Es wird zusammengewürfelt, was sonst freiwillig nie zusammenkäme. Als ich in diesem Kurs das erste Mal einlief, suchte ich automatisch nach der hinteren Reihe, aber Pustekuchen: Da sitzt man im Kreis. Die anderen Schwangeren tauschten sich freudig erregt über die besichtigten Krankenhäuser aus, priesen Gebärhockeranlagen und diskutierten Gebärpositionen, aber ich konnte mich für das alles nicht begeistern. Ich mochte schon den Tee nicht, der da in der Mitte bereitstand.

Mir war, als wäre ich zwischen lauter Mechthilds im Kreis eingeklemmt, aber dann war es wieder wie in der Schule: Es fand sich eine Gleichgesinnte. Neben mir saß eine Schwangere, die sich auch nicht besonders ins Geschehen einbrachte. Sie fiel mir dann noch mal positiv auf, als wir uns für eine ›Fantasiereise‹ auf den Boden legen mussten. Wir sollten uns entspannen, während die Hebamme eine Geschichte von einem Schloss erzählte, aus dem eine Fee rauskommt und uns nach unseren Wünschen fragte ... Und da hörte ich meine Nachbarin: Sie fing nach einigen Minuten laut zu schnarchen an.

Da war das Eis gebrochen: Diese Nachbarin hieß Hanni und war wirklich nett. Ich konnte mich mit ihr unterhalten – und natürlich ging es oft um diese ganze Kinder-Sache, das war schließlich das aktuelle Top-Thema in unserem Leben –, aber es ging bei diesen Gesprächen nicht nur um Kopfumfang oder Gebärpositionen. Es ging um uns, unsere Ängste, Sorgen und Erkenntnisse. Ich hätte sie auch gemocht, wenn wir nicht beide eine Riesenkugel vor uns hergeschoben hätten. Wie sich herausstellte, war Hanni eine Ausnahme. Das zeigte sich auch im PEKiP-Kurs (Prager-Eltern-Kind-Programm). Das ist der erste Kurs, den ein Baby belegen kann. Dabei sitzen sechs bis acht Erwachsene (Mütter, sagen wir es, wie es ist) mit ihrem Säugling in einem warmen Raum auf Matten. Die Kinder werden nackig ausgezogen, man singt gemeinsam einen Klassiker wie »Mh mh macht der kleine Frosch am Teich«, dann gibt es noch Seifenblasen, und es wird sich unterhalten. Insgesamt achtmal, einmal die Woche, 90 Minuten, macht 125 €. Die einen genießen diese Veranstaltung mehr als andere. Ich und Hanni sind ›andere‹.

Als das Kind in die KiTa kam, wurde es nicht besser. Da beschlossen die Eltern, dass nur ungesüßte Dinkelplätzchen mitgegeben werden dürfen, nicht dass die Kinder ›auf den Geschmack kommen‹. Es gab regelmäßig Diskussionen darüber, welches Kind wen herumkommandierte und was in der Gruppe unter den Kindern sonst so lief – und vor allem, was nicht gefiel. Es wurde eine WhatsApp-Eltern-Gruppe gegründet, in der diskutiert wurde, warum die Lena die Laura gehauen hat und dass der Linus immer bestimmen will. Es gab meterlange Konversationen darüber, ob die Raumtemperatur in der Puppenecke zu niedrig oder gerade richtig ist, was die Informationen über die Raumtemperaturen in den Wohnungen der Eltern einschloss. Ich hatte den Eindruck, nur ich gab mein Kind in die KiTa, um arbeiten zu gehen – die anderen hatten sich die KiTa als neues Hobby auserwählt!

Ich stellte die WhatsApp-Gruppe fortan auf lautlos und ging abends die meterlangen Nachrichten durch. Nachdem ich las, dass Leonhard schon wieder Durchfall hat und mich danach durch die Besserungswünsche und die traurigen Emojis von zwanzig Eltern scrollte, dämmerte es mir: Jedes Mal, wenn ich diesen Quatsch lesen muss, bin ich genervt.

Informationen über Leonhards Stuhlgang bringen mir überhaupt nichts, sie interessieren mich nicht die Bohne und vor allem: Es passiert nichts, wenn ich es nicht weiß. Ich habe volles Vertrauen in die Erzieher in der KiTa und muss nicht wissen, wer wem die Puppe wegnimmt. Die KiTa informiert für meine Befindlichkeit ausführlich genug über den eigenen Dreikäsehoch und sein Verhalten, da braucht es nicht noch zwanzig Expertenpaare. Sollte irgendetwas sein, was ich wissen muss, dann werden sie es mir sagen. Das Kind trifft am Nachmittag auf diversen Spielplätzen seine KiTa-Kumpels sowie andere Kinder, es wird also nicht sozial absteigen wegen seiner eigensinnigen Mutter, also am Arsch vorbei mit der WhatsApp-Gruppe. Ich habe es wirklich getan: Ich habe als vermutlich erster Mensch eine KiTa-WhatsApp-Gruppe verlassen. Das war zunächst nicht so berauschend wie gedacht. Aus einem einfachen Grund: Sich die WhatsApp-Gruppe am Arsch vorbeigehen zu lassen war einfach, vermutlich war sie auch zuvor nie woanders gewesen. Was wirklich am Arsch vorbei musste, war die Meinung der anderen Eltern: Ob die mich jetzt als asoziale Einzelgängerin ansahen? Aber als ich ganz genau in mich hineinhorchte und mich fragte: Ist es mir wirklich wichtig, was Mama-von-Leonie und Mama-von-Luca von mir denken? Eigentlich nicht. Und da kam es: Von ganz unten stieg langsam dieses großartige Gefühl auf: Freiheit.

Ist echt wahr, ich übertreibe nicht. Es fühlt sich an wie Freiheit.

Horchen Sie selbst in sich hinein – und schreiben Sie das, was Sie erlauscht haben, auf:

Diese WhatsApp-Gruppen werden Sie verlassen:

Diese Kontakte werden Sie löschen:

Diese Facebook-Freunde oder -Gruppen werden Sie verbergen:

DAS BEMÜHEN UM VERSTÄNDNIS VON KINDERLOSEN FREUNDEN – AM ARSCH VORBEI

In der Zeit vor meinem Kind ereignete es sich einige Male, dass irgendjemand aus dem Bekanntenkreis schwanger wurde. Jedes Mal hatte dies zur Folge, dass die betreffenden Eltern, nachdem das Baby geboren war, mit einem großen PLOPP! in der Versenkung verschwanden.

Einladungen zu gemeinsamen Abendessen, auf ein Bier oder in ein Café oder zu sonst irgendeiner Aktivität, die man vorher auch gern gemeinsam unternommen hatte, wurden meistens abgesagt. Da denkt man sich nach ein paar Mal ›Arschlöcher‹ und versucht es nicht mehr.

Als es dann bei mir passierte, dass auch ich zwei Striche pinkeln konnte, war für mich daher von Anfang an klar: Ich werde mal nicht so. Ich werde eine coole Mama. Im Kopf hatte ich dazu ein paar schlaue Weisheiten gebunkert, die in etwa so klangen:

»Kinder schlafen, wenn sie müde sind. Egal wo.«

»Wenn Kinder gewohnt sind, woanders zu sein, schlafen sie überall.«

»Hauptsache, die Kinder sind mit dabei!«

»Abwechslung tut Kindern gut!«

Daher würde ich nicht nur (siehe oben) shoppen und in Cafés abhängen, sondern ich sah mich mit dem umgeschnallten Kind schon auf Festivals in der Wiese sitzen und während Städtetrips das Kind im Tragetuch vor mir her schaukeln. L. und ich würden bei Freunden gemütlich in der großen offenen Küche Abendessen zubereiten und verspeisen, während das Baby nebenan in deren Schlafzimmer schläft. Und Freitagmittag ginge ich selbstverständlich mit Anne zum Italiener, so wie immer, das Kind wäre eben dabei. Auf Festen wäre ich mittendrin, das Kind auch, und irgendwann würde es sich auf ein Sofa schlafen legen. Alle anderen Anwesenden wären beeindruckt, wie unkompliziert das Kind ist und ich würde sagen: »Kinder schlafen, wenn sie müde sind, egal wo. Wir nehmen unseres überallhin mit, es ist das gewohnt.« Anschließend großes *Oh!* und *Ah!* auf allen Seiten ob dieser geballten pädagogischen Kompetenz.

Hachja.

Dann kam das Kind.

Nach zehn Tagen Wochenbett beschloss ich, dass es nun Zeit war, eine coole Mama zu werden, und wir verabredeten uns mit den Schwiegereltern in der Stadt. Wir wollten gemeinsam bummeln, Schwiegermama könnte den Kinderwagen schieben und ich käme mal wieder vor die Türe. Bis wir an unserem Treffpunkt ankamen, lief auch alles wie geschmiert. Ab diesem Moment schrie das Kind.

An diesem Tag lernte ich mehrere Dinge:

1. Man bekommt zwar diesen neuen Menschen irgendwie auf die Welt und mit nach Hause, aber wie er funktioniert, weiß man deshalb noch lange nicht.
2. Meine Umwelt einschließlich L. geht hingegen davon aus, dass ich so etwas wie ein instinktives Mutterwissen habe.
3. Nach mehreren Minuten Babygeschrei wechselt der Blick der Mitmenschen von mitleidig zu vorwurfsvoll.
4. Auf Ausflüge Ersatzwindeln und Feuchttücher nicht vergessen! Wichtig!

Wir lernten in der darauffolgenden Zeit das Baby besser kennen, lernten, was es mag (Brust, im Bett bei Mama schlafen und baden) und was es nicht mag (shoppen, Cafés, angezogen werden), und wir lernten auch, dass es einen bestimmten Rhythmus hat. Die gesammelte Weisheit und alle Einsichten, die darauf folgten, ließen sich schlussendlich darauf reduzieren:

Kann das Baby nach seinem Rhythmus leben, läuft es gut. Geht das nicht, läuft es Scheiße. Ein Umstand, der kinderlosen Schnuffeln mitunter schwer zu vermitteln ist:

»Ich weiß, gleich kommt noch Gabi vorbei, aber wir müssen jetzt leider gehen …«

»Warum, das Baby ist doch ganz friedlich?«

»Ja, darum gehen wir jetzt, bevor es einen totalen Zusammen-
bruch hat, was in genau dreißig Minuten der Fall sein wird.«
Da kann man förmlich spüren, wie die Lieben einem innerlich
den Vogel zeigen. Bis sie selber ein Kind bekommen.

Ich gehe auch Freitagmittag nicht mit Anne zum Italiener, denn
um spätestens 13 Uhr muss das Kind schlafen. In seinem Bett.
Sind wir woanders, wacht es auf oder schläft vor Spaß überhaupt
nicht, was zur Folge hat, dass der Nachmittag höllisch wird. Und
so oft ich auch in bester Absicht in irgendeinem Restaurant, Eiscafé oder auf einer Party saß: Es ging nicht. Einfach, weil diese Aktivitäten dazu da sind, sich mit anderen zu beschäftigen,
man selbst aber permanent (oder in sehr kurzen Abständen) mit
dem Kind beschäftigt ist. Die Wahrscheinlichkeit, dass es bei
einem Treffen im Café zu einem zusammenhängenden, sinn-
vollen Gespräch kommen würde, sank gegen Null. Die geplanten
Abendessen bei Freunden hingegen gingen klar –

- wenn wir so früh ankamen, dass das Kind vor lauter Spaß
  und Aufregung trotzdem irgendwann zu gewohnter Zeit ein-
  schlief.
- solange es sich noch nicht drehen konnte, um vom Bett zu
  plumpsen. (Als es sich drehen konnte, fragte man, ob man ein
  provisorisches Bettchen auf dem Boden bauen könnte – und
  da war er wieder, der Vogel hinter dem Rücken ...)
- wenn man das Baby nach ein paar Stunden Schlaf wieder
  aus selbigem riss, um im Auto nach Hause zu fahren und den
  fehlenden Schlaf am nächsten Tag ausbadete.
- obwohl man selbst ab halb neun Uhr kaum noch die Augen
  aufhalten konnte.

Überraschung: Wir gingen nicht zu vielen Abendessen. Wir gingen auch nicht viel zu anderen Aktivitäten, bei denen man nach halb neun noch wach sein musste. Das ist Kinderlosen schwer zu vermitteln. Nicht umsonst gibt es diese lebensechten, computergesteuerten Babypuppen für Teenager, die schreien und um die man sich kümmern muss wie um ein richtiges Baby: um den Mädchen zu vermitteln, was es heißt, ein Baby zu haben. Ich habe mir überlegt, so ein Ding zu kaufen, nur um jedem, der fragt, warum ich nicht mit tanzen gehe, L. könne doch auf das Kind aufpassen, das Ding einfach für ein paar Tage in die Hand zu drücken.

Kostet aber tausend Euro.

Es ist auch schwer zu vermitteln, dass man gerne Zeit mit dem Kind verbringt. Ich will mich mit dem Kind beschäftigen, auch wenn für Außenstehende die Beiträge des Kindes nicht besonders interessant erscheinen. Auch schwer zu erklären ist, dass die wenigen Freizeitaktivitäten, an denen wir teilnehmen, davon abhängig sind, ob es dort freie Flächen zum Toben gibt, ob andere Kinder da sind, ob vielleicht ein sturzdämpfender Untergrund vorhanden ist – statt von der Qualität der Cocktails, zum Beispiel.

Als das Kind etwas größer wurde, änderte sich vieles: Es kann inzwischen aus dem Schlafzimmer von Freunden selbstständig wieder herauskommen, es kann nach allem greifen, was spitz, gefährlich oder wertvoll ist, es kann sich selbst von einem Biergarten aus in Richtung Straße bewegen, sich würgen, fallen und den Kopf anstoßen. Wir sind also wieder extrem abgelenkt, wenn wir uns mit anderen Leuten treffen, allerdings weniger durch das Schreien des Kindes, sondern um die Brut am Leben zu halten.

»Aber es ist toll!«, versichert man dann den kinderlosen Freunden, die sich vielsagende Blicke zuwerfen.

Dieser scheinbare Widerspruch – auch er ist nicht zu erklären. Irgendwann habe ich es eingesehen: Ich bin keine coole Mama, das läuft nicht. Also nicht in dem Sinn cool, wie sich kinderlose Leute eine coole Mama vorstellen. Ich kann unseren Lieben, die selbst keine Kinder haben, auch nicht erklären, warum das so ist. Meine Erklärungen klingen wie eine Rechtfertigung, damit niemand denkt, ich wäre komplett durchgeknallt. Und darum lasse ich es jetzt einfach. Das Bemühen um Verständnis von kinderlosen Freunden – am Arsch vorbei.

Hier gibt es jetzt nur noch die Fakten, die können von den Betreffenden angenommen, durch den Kakao gezogen, akzeptiert oder paniert werden, eines werden sie nicht: diskutiert.

Am Samstag ist eine coole Party? Geil! Wir kommen nicht!

Morgen um 12 ist Brunch bei Klaus? Viel Spaß!

Gehen wir Kaffee trinken? Ok, geht aber nur zwischen zehn und elf!

Auch Kino, Fußball gucken, das Konzert von Dingsbums und den Poetry-Slam kann man bedenkenlos absagen. Einfach so. Ich habe inzwischen eine Standard Absage:

Wir kommen wahrscheinlich nicht, haben euch aber trotzdem lieb.

Das ist einigermaßen versöhnlich, ohne jedoch einen Grund zu nennen, den mein Gegenüber eh nicht verstehen würde. Es gibt natürlich Freunde, auch ohne Kinder, mit denen ich trotz Kind etwas unternehmen kann. Das sind wunderbare Stunden, und es sind wunderbare Menschen, denn sie erfühlen ganz instinktiv, was gerade geht – und was nicht. Und sie sind nicht enttäuscht oder beleidigt, wenn ein Plan wegen Blähungen, Zahnschmerzen oder ICH WEISS AUCH NICHT, WAS ES HAT ins Wasser fällt.

Alternativ lade ich außerdem zu uns zum Frühstück ein. So um sieben Uhr morgens, da sind wir topfit!

Und ich will, dass sie alle wissen:

Gebt uns nicht auf — wir kommen wieder, wenn die Bedingungen wieder stimmen.

6. LIEBE

- Interpretieren am Arsch vorbei
- Verstehen am Arsch vorbei
- Nur wer sich selbst liebt ... am Arsch vorbei
- All die anderen am Arsch vorbei
- Gemeinsame Hobbys ... aber sowas von am Arsch vorbei
- Fehler des Partners ... am Arsch vorbei

In puncto Liebe haben die meisten schon einige Erfahrung mit ›Am Arsch vorbei‹ sammeln dürfen. Entweder weil sie selbst den einen oder anderen Kandidaten genau dort vorbeizischen haben lassen oder weil sie betrüblicherweise selbst dort entlang geschickt worden sind. Meistens hat man auf beiden Seiten mindestens einmal mitspielen dürfen, wobei eine der beiden Seiten eindeutig die bessere ist. Es gibt Jahre, da verwandelt sich der Weg am Arsch vorbei nahezu in eine Autobahn und die Herrschaften rasen einem links und rechts um die Ohren, sodass selbige nur so schlackern. Ich erspare uns an dieser Stelle einige herausragende Beispiele, die eventuell von Exfreunden meinerseits inspiriert wären und eventuell in einer wüsten Schimpftirade endeten.

Irgendwann jedoch, wenn es einigermaßen läuft, findet man jemanden, der sich nicht wie ein komplett Irrer aufführt, den man behalten möchte, und dann wird es erst richtig kompliziert.

L. und ich formen seit zwölf Jahren eine *eheähnliche Lebensgemeinschaft*, und ich finde ihn nach wie vor prima – auch wenn ich ihm manchmal den Hals umdrehen könnte. Er ist mein Mr. Right, der Richtige, der Prinz ohne Schimmel. Dass Prinzen eben auch ihre Socken auf dem Boden verteilen, wurde mir vorher nicht gesagt. Das ist auch so ein ganz großes Mysterium: Liebe und Beziehungen sind mit der wichtigste Part in unserem Leben, aber man bekommt sie nicht beigebracht. Alles muss man im Selbstversuch herausfinden! Ich frage mich, ob es nicht gescheiter wäre, die eine oder andere Schulstunde in Biologie über den Schwänzelflug der Honigbiene einzutauschen in Aufklärungsstunden über die Liebe. Zumindest die Grundlagen:

- Prinzen (und Prinzessinnen) sind auch nur Menschen.
- Verliebt sein hält nicht an, das ist ganz natürlich.
- Man kann den anderen schon auch mal an die Wand klatschen wollen, auch das ist ganz natürlich.
- Das mit dem Sex lässt auch nach.
- Streiten ohne Scheiße zu sein, Basiskurs
- Was ich mir ganz gemütlich am Arsch vorbeigehen lassen kann

INTERPRETIEREN AM ARSCH VORBEI

Das ist ein echter Klassiker – ich weiß nicht, wie viel Zeit meines Lebens ich mit dem Interpretieren von Verhalten, Aussagen und Reaktionen von L. verblödelt habe. Ein kurzes Beispiel dazu, genau so geschehen:

Wir waren zum Abendessen in einem hübschen, kleinen Restaurant verabredet (das war vor dem Kind, da sind wir noch in Restaurants gegangen). L. war an diesem Abend von Anfang an ein bisschen komisch – ich dachte erst, es wäre vielleicht, weil ich ein bisschen zu spät gekommen war, aber er äußerte sich nicht dazu. Er sagte überhaupt auffallend wenig und die Stimmung blieb das ganze Essen über lau.

»Komm«, sagte ich und nahm seine Hand, »gehen wir noch auf einen Absacker« – in der Hoffnung, er würde mir erzählen, was los war. Er war einverstanden, aber auch in der Bar (das war vor dem Kind, da sind wir noch in Bars gegangen) sagte er kaum was und stocherte mit dem Strohhalm in seinem Cocktail herum. Ich fragte ihn »Was hast du denn?« und er sagte »Nichts.«

»Bist du sauer? Hab ich irgendwas falsch gemacht?«, bohrte ich nach, aber er reagierte total ablehnend. »Nein, ich bin nicht sauer«, aber er blieb abwesend und runzelte die Stirn. Als wir im Auto heimfuhren, strich ich ihm durchs Haar und sagte »Ich liebe dich«, da lächelte er, drückte kurz meine Hand und fuhr weiter. Ich hatte immer noch keine Ahnung, was los war, und dass er auf mein *Ich liebe dich* nichts antwortete, machte mich noch unsicherer. Es war, als stünde eine riesige Mauer zwischen uns und ich wusste nicht mal warum! Er beachtete mich nicht weiter und schaltete zu Hause den Computer an, während ich in der Küche die Spülmaschine einräumte. Mir tat das Herz weh und ich dachte: Ist das der Anfang vom Ende? Gab es vielleicht eine andere? Musste er deswegen so spät noch an den Computer? Und wann würde er mir das sagen? Ich ging schließlich ins Bett und L., völlig in Gedanken, sah nicht mal auf. Als er später auch ins Bett kam, legte er sich ganz auf seine Seite des Bettes, damit er mich nur ja nicht berührte, und als ich meinen Fuß an seinen legte, zog er ihn weg. In dem Moment kamen mir die Tränen. Wo auch immer seine Gedanken waren, bei mir waren sie nicht. Vermutlich waren sie bei einer anderen. Und dann heulte ich und L. schnarchte.

Am nächsten Tag sah ich L. erst wieder am Abend und er sagte, gleich als ich zur Tür reinkam, er müsse mit mir reden. *Jetzt ist es also so weit*, dachte ich und setzte mich auf alles gefasst an den Küchentisch. Ob er wohl ausziehen würde oder ob er will, dass ich ausziehe, überlegte ich, als L. mir in die Augen sah. »Alex, ich habe es probiert, aber ich weiß nicht mehr weiter«, fing er an und meine Augen füllten sich mit Tränen. »Ich habe alle möglichen Ursachen eliminiert, aber es macht nach wie vor diese Geräusche und ich glaube, es ist das Getriebe.«

Wir starrten uns kurz an und sagten dann gleichzeitig:

Ich: »Was?«
L.: »Heulst du?«

So kann es gehen. Unser verdammtes, beschissenes Kack-Auto war kaputt. Das war alles. L. fiel aus allen Wolken, als ich ihm erklärte, ich dachte, er würde die Beziehung beenden. Er wurde sogar ein bisschen sauer und diesmal wirklich. Ich weiß das, weil er sagte: »Da werde ich ja fast ein bisschen sauer!« Wir schoben dann die Vorkommnisse auf meine rege Fantasie, lagen uns in den Armen und versprachen uns dort verschiedene Dinge: Ich würde nicht mehr jeden Mist interpretieren und das dann für voll nehmen und L. müsste mehr den Mund aufmachen.

An diese Geschichte muss ich immer denken, wenn ich mich dabei erwische zu interpretieren, warum wer was macht und was noch dahinterstecken könnte. Misstrauisch zu sein und Gefahren zu vermuten, wo keine sind, ist natürlich – auch das war uns Menschen im Laufe der Evolution nützlich, um zu überleben, aber die Säbelzahntigerzeiten sind rum. Fragen Sie, wenn Sie was wissen wollen, und vor allem: Glauben Sie die Antwort. Männer sagen total oft tatsächlich das, was sie denken! Als L. mir bald nach der Kack-Auto-Sache sagte: »Ich finde deine Freundin Jana nett«, war ich nur kurz versucht zu glauben, dass er alles tun wird, um Jana ins Bett zu bekommen, sie anschließend heiratet und mit ihr Kinder bekommt, während ich einsam alt werde und hin und wieder bei ihnen zum Abendessen eingeladen bin.

Es ist befreiend, sich diesen Quatsch nicht anzutun, sondern zu glauben, was der andere sagt.

Wann haben Sie das letzte Mal mit einer Interpretation so richtig danebengelegen?

Hier eine kurze Übersicht, was er meinen könnte, wenn er sagt:

Sagt	Meint
– Nichts	– Nichts
XY ist nett	XY ist nett
Ich bin müde	Ich bin müde
Na toll!	Er findet es tatsächlich toll!

VERSTEHEN AM ARSCH VORBEI

»Verstehe ich nicht« als Reaktion auf etwas, was jemand sagt oder tut, ist ja oft gleich bedeutend mit »Finde ich total beknackt«. Im Gegenzug will man den Menschen, den man liebt, unbedingt verstehen. Zuerst alles wissen »*Ich will ALLES von dir wissen!*« und dann alles verstehen. Schon bei dem Part, bei dem der andere *alles wissen* will, schwant einem: Das will er nicht. Und dementsprechend ist es dann beim Verstehen: Das kann er nicht. Umgekehrt kann man das auch nicht und manchmal versteht man sogar gar nichts: Meinen Exfreund Hannes aus dem schönen Dorf Haderstadl bei Cham zum Beispiel konnte ich zu Beginn überhaupt nicht verstehen – zumindest nicht, wenn er sprach.

Was ich an L. nicht verstehe, sind die verschiedensten Dinge: Ich verstehe zum Beispiel nicht, dass er mit seinem besten Freund Sven nicht öfter telefoniert.

Was ist das für eine komische Sache mit Männern und ihren Freunden? Wenn L. Sven trifft, können die stundenlang einfach nichts machen. Auch wenn sie sich nur zweimal im Jahr sehen. Die mailen sich auch nicht zwischendurch oder telefonieren. Wenn ich L. frage, wie es Sven geht, ob er in seiner Beziehung glücklich ist, ob ihm sein Job Spaß macht, ob eigentlich dessen Eltern noch leben, sieht mich L. an, als hätte ich nicht alle Tassen im Schrank. Er hat nämlich den Leitsatz aller Männer-Freundschaften verinnerlicht:

Solange dein Freund nichts Gegenteiliges sagt, ist alles in Ordnung.

L. macht sich nur Sorgen, wenn Sven anruft. Dann ist was passiert. Meldet er sich für einen Besuch außer der Reihe an, stellt L. schon mal Bier kalt, denn dann muss es wirklich schlimm sein. Nicht, dass sie dann die ganze Nacht das Problem wälzen würden – Sven stellt die Sachlage dar und dann betrinken sie sich, gelegentlich wird geseufzt. Wie gesagt, ich steige da nicht durch.

Ich verstehe auch nicht, dass L. 42 Kilometer am Stück rennt! Zu Fuß! Als ich L. kennenlernte, bereitete er sich gerade auf einen Marathon vor – für mich war das bis zu diesem Zeitpunkt lediglich eine dieser bekloppten Veranstaltungen, die daran schuld sind, dass strategisch wichtige Straßen in der Innenstadt gesperrt sind.

Als mir L. dann begeistert davon erzählte, wie toll die Stimmung dort ist und wie gut man sich fühlt, nachdem man es geschafft hat, habe ich mir das angesehen und bin zu dem Schluss gekommen, dass dies lediglich eine dieser bekloppten Veranstaltungen ist, die daran schuld sind, dass strategisch wichtige Straßen in der Innenstadt gesperrt sind. Im Ernst: Ich verstehe diese Freude nicht an Dingen, bei denen man froh ist, wenn sie rum sind! Dann lasse ich es halt gleich bleiben und freu mich diebisch, dass ich nicht 42 Kilometer rennen muss.

Schwer nachvollziehen kann ich auch L.'s Freundschaft mit Jonas, einem Vollpfosten erster Güte, mit dem mich eine herzliche, beidseitige Abneigung verbindet. Oder dass L. gerne angelt – haben Sie schon mal gesehen, wie man den Fischen diesen Angelhaken aus dem Gaumen pfriemelt? Da tupft man sich automatisch selbst mit der Zunge an den eigenen Gaumen und verzieht das Gesicht!

L. hingegen schüttelt verständnislos den Kopf, wenn er sieht, wie ich im Internet stundenlang nach Häusern für uns suche. »Aber wir können uns doch gar kein Haus leisten!«, sagt er dann und versteht meine Antwort nicht: »Ich kaufe ja nicht, ich suche nur!«

Ob man nun Orchideen züchtet oder auf Konzerte von Marianne und Michael fährt: Es gibt einen ganzen Haufen von Dingen, die wir an unseren Liebsten nicht ganz verstehen. Das gilt besonders für die unschönen Dinge, wie Marianne und Michael, aber auch für blöde Fehler, die man so hat. L. zum Beispiel hat eine Strategie der Problembewältigung, die bringt mich an den Rand eines Nervenzusammenbruchs. Er steckt nämlich einfach den Kopf in den Sand. L. kann schwerwiegende Probleme verdrängen wie Wasser, tut dies aber nur, wenn es wirklich wichtig ist. Verstehe ich das? Überhaupt nicht! Es nervt mich, es betrifft mich und ich könnte ihm den Kopf abreißen, wenn er das tut. Kann ich es ändern? – Leider nein. Und L. geht mir sowas von nicht am Arsch vorbei, dass es eine wahre Pracht ist. Aber ich muss nicht alles verstehen müssen. Ich kann aber akzeptieren, dass er nicht perfekt ist, so wie ich das vermutlich auch nicht bin, und ich kann ihm zuhören, wenn er von seinem Angelausflug kommt und von dem Fisch erzählt, den er ›beinahe‹ erwischt hätte, und ich kann lieben, wie er aussieht dabei, wenn er es erzählt.

NUR WER SICH SELBST LIEBT …
AM ARSCH VORBEI

Diesen Spruch kennen Sie doch auch, oder:

Lieben kann man nur, wenn man sich selbst liebt.

Dieser Satz in verschiedenen Variationen hat es irgendwie zu dem Status einer Lebensweisheit geschafft. Wenn ich den lese, dann ploppt in meinem Kopf eine Postkarte von einem kitschigen

Sonnenuntergang auf, vor der er sich selbstverliebt in geschwun-
gener Schrift räkelt.

Dieser Satz ist außerdem totaler Käse! Wenn es tatsächlich
so wäre, dann wäre ein Großteil der Bevölkerung völlig liebes-
unfähig, denn die meisten haben so ihre Probleme mit der Selbst-
liebe oder eigentlich weit vorher schon: beim Selbstwertgefühl.
Manche finden sich phasenweise nicht so dufte, andere nur vor
den Spiegeln in Umkleidekabinen nicht, wieder andere haben
dauerhaft irgendetwas an sich zu kritisieren und die Dritten wären lieber jemand ganz anderes und dann gibt es noch die, die sich
richtig Scheiße finden – kurzum: Wir sind alle keine Zehn. Trotzdem hat sich der Irrglaube verbreitet, wenn wir nur endlich nicht
mehr _____ wären, sondern endlich _____,
dann wird es auch was mit der Liebe. Als könnte man sich die
Liebe erarbeiten. Bis dahin ziehen wir als B-Ware halt auch nur
die B- bis C-Ware an, eine mehr oder weniger beeindruckende
Menge an Ex-Exemplaren scheint diese Theorie zu bestätigen.
Und so rennen ganze Heerscharen den Therapeuten die Bude
ein, um endlich zu dem strahlenden Wesen zu werden, das sie
eigentlich sein könnten und das dann auch eine glückliche Beziehung mit einem A führen kann. Denn nur wer mit sich alleine
glücklich ist, kann auch eine glückliche Beziehung führen! Der
Sonnenuntergang, da ist er wieder.

Gott sei Dank ist es jedoch so, dass man sehr wohl jemanden
lieben kann, auch wenn man sich nicht für den größten Wurf
unter der Sonne hält. Man kann selbstverständlich sein Kind-
heitstrauma mit sich herumschleppen und trotzdem lieben. Die
Welt wäre sonst ein sehr einsamer Ort.

Wenn man von sich selbst sagen kann, dass man schon einigermaßen okay ist, zumindest nicht schlechter als all die anderen,

dann ist das schon vollkommen genug. Und wenn man das von dem Liebsten auch sagen kann, dann steht einem ganz großen Glück ü-ber-haupt nichts im Weg.

ALL DIE ANDEREN AM ARSCH VORBEI

Wenn es so weit ist, ziehen Sie nach einer angemessenen Zeit Bilanz: Finden Sie Ihren Liebsten immer noch toll? Großartig. Möchten Sie ihn ab und zu auf den Mond schießen? Ja? Dann ist alles ganz normal. Sehen Sie sich nun das Verhältnis ›großartig‹ zu »Mondschießen« an. Überwiegt Ersteres? Herzlichen Glückwunsch! Sie haben es gut getroffen!

Bevor ich L. begegnet bin, verschob sich dieses Verhältnis zu Ungunsten von ›großartig‹ immer ziemlich drastisch, bis nur noch »Mondschießen« übrig blieb. Manchmal ging das langsam, manchmal blitzartig, und hast du nicht gesehen, musste man schon wieder zum Friseur, die Wohnung streichen oder was eben nötig war, um nicht im Tränenmeer zu ertrinken. Seit L. Teil meines Lebens ist, habe ich den Rat von Eckart von Hirschhausen befolgt, der die Partnersuche mit einem Besuch im Restaurant vergleicht: die Speisekarte durchblättern, sich einen Überblick verschaffen, was es gibt, und das Nächste nehmen, was einem gefällt – fertig. Danach klappt man die Karte zu und beschäftigt sich nicht weiter damit, was es noch gegeben hätte und was man eventuell verpasst.[10]

Nachdem ich die Speisekarte des Restaurants geschlossen hatte, wurde alles leichter. Es fällt ganz viel Stress weg, wenn man

---

10   Sinngemäß aus: Eckart von Hirschhausen, Glück kommt selten allein, ISBN 978-3499624841

dieses Kapitel schließt. Der ist es jetzt und basta, habe ich mir gesagt, ihn beglückwünscht, und daran hat sich bis heute nichts geändert. Dem kommt entgegen, dass die Männer, die ich so kennenlerne, mir zwar ein Bier ausgeben können, aber L. einfach nicht das Wasser reichen können. Das ist ein wunderbares Wissen, denn glauben Sie mir: Selbst wenn George Clooney morgen ins Café Einstein käme (also nicht der Klappspaten-Clooney von Hanne, sondern der echte), ich bin mir sicher, er würde nie so albern mit mir zum Altar schreiten wie L.: nämlich wie in Monty Pythons *Ministry of Silly Walks*. Und haben Sie Clooney mal vor seiner Zahnkorrektur gesehen? Na bitte.

Mit der Partnersuche ist es ein bisschen so wie im Supermarkt vor dem Marmeladenregal: Eigentlich will man nur eine leckere, normale Himbeermarmelade und dann wird es kompliziert: Nimmt man nun die mit dem Bio-Siegel oder lieber die mit den Stückchen drin? Die mit dem hübschen Etikett wäre auch toll, aber die ist eben nicht Bio und dann gibt es noch die Markenmarmelade und eine, die besonders günstig zu haben ist, von der ist leider die Verpackung scheußlich – und so geht das immer weiter. Da investiert man dann viel zu viel Zeit in das Studium und die Auswahl und am Ende hat man das am besten ausgewählte Glas zu Hause und dann schmeckt es einfach eben doch bloß nach: genau, Himbeermarmelade. Gut, in diesem Fall zerbricht man sich selten den Kopf, was gewesen wäre, hätte man nun doch eine andere Marmelade genommen, aber genau das passiert uns im richtigen Leben mit der Liebe. Da sammelt man irgendwann zum hundertsten Mal die dreckigen Socken auf, die der Liebste IMMER NEBEN DEN WÄSCHEKORB SCHMEISST STATT HINEIN, denkt an gestern Abend, als er wieder mit offenem

Mund vor dem Fernseher eingeschlafen ist – und überhaupt: hat er nicht ziemlich zugenommen in letzter Zeit? – und in dem Moment kommt zufällig im Radio dieses eine Lied: Das Lied, das einen an IHN erinnert. Welcher ER das sein soll? Tun Sie nicht so, es gibt immer einen. Fallen Sie nicht darauf rein. Schicken Sie ihn dort lang, wo er hingehört. Am Arsch vorbei.

GEMEINSAME HOBBYS ... ABER SOWAS VON AM ARSCH VORBEI

Gemeinsame Hobbys sind was Tolles, oder? Wenn man so Arm in Arm – ja, was?

Das Einzige, was L. und ich schon immer gerne zusammen gemacht haben, ist spazieren gehen. Auch wegen dem Hund, der macht das nämlich auch oft und gerne. Ansonsten sind gemeinsame Hobbys immer schwierig, wenn nicht vorhanden. Ich hatte immer das Gefühl, wir müssten doch irgendeine Gemeinsamkeit haben, etwas, was uns beiden Spaß macht. Wenn man schon mit anderen Menschen so viel Spaß beim Reiten, Rollenspiel oder Töpfern haben kann – wie bombig wäre das dann erst mit dem Liebsten? Ich habe mich ehrlich bemüht. Besagtes Rollenspiel habe ich einem Ehemaligen zuliebe wirklich probiert. Allerdings dachte ich da noch, dass man bei Rollenspielen verkleidet durch den Wald huscht und als Magierin gegen Trolle kämpft. Pustekuchen. Bei dem Rollenspiel, bei dem ich dabei war (Das schwarze Auge), saßen ein paar blasse Typen um einen Tisch, würfelten, und blätterten danach durch zwei dicke Bücher, um herauszufinden, welcher Stein als Nächstes wohin bewegt werden müsste und was das bedeutete. Da hätte ich mir im Vorfeld gar keine so dollen Gedanken machen müssen, was man da so anzieht …

Ich glaube, mit etwas Abstand betrachtet, das war die langweiligste Stunde meines Lebens. Jana hingegen schwört, es gebe nichts Langweiligeres als das Hobby ihres Exfreundes, der saß nämlich stundenlang an 3-D-Puzzles. Trotzdem hat sie mit ihm an einem tausendteiligen Modell des Schlosses Neuschwanstein gepuzzelt, immer in der Hoffnung, diese ebenso originelle wie öde Vorliebe möge nur eine Phase sein. (War es nicht.)

Was tut man nicht alles!

Das hat sich auch L. gedacht, als er wegen mir das erste Mal in seinem Leben auf ein Pferd gestiegen ist. Ich war mir ganz sicher: Säße er erst mal drauf, dann würde er schon sehen …

Es war mir wirklich wichtig (und eventuell habe ich ihn auch minimal unter Druck gesetzt), also hat er es eines schönen Sonntags probiert. Ich hatte Pferd und Reitlehrer organisiert, die Sonne schien, es war alles perfekt. Ich sah uns schon gemeinsam durch die Wälder galoppieren, wir könnten auf dem Land wohnen und eigene Pferde halten, vielleicht welche züchten! Als die Reitstunde vorbei war, hatte ich einen kleinen gemeinsamen Lebensentwurf beschlossen, bei dem ich mich vornehmlich um Fohlen kümmerte und L. weiße Weidezäune ausbesserte. L. hingegen hatte in dem Moment, in dem die Reitstunde vorbei war, beschlossen, er würde in seinem Leben nicht mehr auf ein Pferd steigen. Er hätte sich so sehr die Eier geprellt, dass er in der Arbeit einen Stehtisch beantragen müsse. Und warum man sich überhaupt auf eine Pferdestärke setzen würde, wenn es doch Optionen mit viel mehr Pferdestärken gäbe, die noch dazu ganz zuverlässig mittels Knöpfen an- oder ausgingen, und warum man seine beknackten Fersen immer nach unten drücken müsse – da käme ja eh kein Pedal.

Kurzum – unser Weg in die eigene Pferdezucht würde holprig werden. Praktisch als Gegenleistung zu seinem geprellten Gemächt forderte mich L. auf, mit ihm Sport zu machen. Das Laufen verweigerte ich wohlweislich, aber L. geht auch schwimmen, und vielleicht wäre ja das etwas, was mir auch Spaß macht – zwar mit deutlich weniger Fohlen dabei, aber mach was.

So ging ich brav mit L. und Bademütze und allem ins Schwimmbad, es roch gemütlich nach Chlor und hallte, wie ich das noch in Erinnerung hatte vom letzten Mal, als ich hier war, mit zwölf.

L. legte gleich los und von da an guckte immer nur eine Hälfte seines Gesichts immer wieder links und rechts aus dem Wasser, ansonsten sah man nur seine Arme. Die einzigen Frauen, die ich erblicken konnte, machten genau das Gleiche, und alle trugen einfarbige, dunkle Badeanzüge. Nur eine hatte keine Schwimmbrille dabei, dafür aber einen grün-roten Bikini mit Dschungelmotiven: Moi!

Ich versuchte es durchaus, ich schwamm hin und wieder her und wieder hin und wieder her und wieder hin … und wäre vor Langeweile beinahe ertrunken. Da ist ja auch optisch nichts geboten, in so einem Schwimmbad. Beim Spazierengehen ändert sich wenigstens die Landschaft, aber beim Schwimmen ist es, als würde man in einer öden Halle spazieren gehen und nach hundert Metern immer wieder umdrehen!

Nach dieser Erkenntnis saß ich im Jacuzzi, um mir dort die Orangenhaut wegblubbern zu lassen. Anschließend setzte ich mich in die Sauna und ließ dort eine Haarkur einwirken. Das war zwar ganz angenehm, hatte aber mit einem gemeinsamen Hobby nicht viel zu tun. »Aber wir müssen doch irgendwas zusammen machen«, jammerte ich auf der Heimfahrt, und als wir

an einer Ampel standen, sagte L.: »Du meinst, so wie die da?«
und sah an mir vorbei aus dem Fenster. Da stand eine Gruppe
Motorradfahrer, alle mit frisch geputzten Maschinen und stan-
desgemäß in schwarzem Leder. Als ich die zugehörigen Damen
auf den Beifahrersitzen kauern sah, fiel es mir wie Schuppen aus
den Haaren: Da saß ich auch mal. Damals mit H., dem Vor-
gänger von L., weil ich dachte, es müsste sich doch, verdammt
noch mal, irgendeine gemeinsame Aktivität finden lassen. Hast
du nicht gesehen, saß ich, wiederum wie meine Vorgängerin, an
meinen Wochenenden hinter H. auf dem Motorrad, schwitzte
im Sommer und fror im Winter und fuhr zu ›Treffen‹. Bei den
›Treffen‹ wurde in Gruppen um die jeweilgen Maschinen he-
rumgestanden und es wurden die jeweiligen Federbeine bespro-
chen und welcher TÜV der mordsmäßig lauten Krawalltüte sein
Ok gegeben hatte. Man wünschte sich fast zu einem Rollenspiel.
Dann ließ irgendein Doldi sein Hinterrad so lange durchdrehen, bis alles Gummi am Asphalt klebte und der Reifen platzte,
und dann fuhr man wieder nach Hause. Ich hätte diese vielen
Wochenenden auf dem Sofa verbringen und eine Serie gucken
können. Wer weiß, vielleicht hätte ich die Echoortung gelernt!
Oder die Gebärdensprache! Wie zur Bestätigung machten die
Helme der Damen beim Anfahren an der Ampel alle ›Klack‹,
an den Helmen der zugehörigen Fahrer und bei mir machte es
auch ›Klack‹:

Ich werde nie wieder irgendeine Minute meiner heiligen Freizeit an ein Hobby verschwenden, das mir am Arsch vorbeigeht.
Ferner werde ich nie mehr auch nur eine Minute meiner heiligen Freizeit damit verschwenden, darüber nachzudenken, ob wir
nicht ein gemeinsames Hobby haben sollten.

Sollten am Arsch vorbei.

FEHLER DES PARTNERS ...
AM ARSCH VORBEI

Was hab ich mich nicht schon aufgeregt über meine Freunde.
Ich dachte ja ewig, nur ich lerne immer die Knalltüten kennen.
Wenn im Radio gemeldet wurde, dass noch jede Menge Blind-
gänger in der Stadt vermutet werden, dachte ich als Erstes an
meine Exfreunde und nickte zustimmend – derweil meinten die
Bomben!

Überraschenderweise ging es aber ganz vielen anderen Frauen
exakt genauso!

In Abstimmung mit den mir bekannten Frauen haben sich einige Stereotypen herauskristallisiert, mit denen die meisten schon
mal zu tun hatten:

- Der langhaarige, schlanke Typ, der Gitarre spielen, toll zeichnen oder Kurzgeschichten schreiben kann und zu Stimmungs-
  schwankungen neigt – optional mit den Skills *klettern* oder *sur-
  fen*. Ein Traumtyp. Wenn er verliebt ist, bekommt man Songs
  geschrieben und wird zur Protagonistin seiner Geschichten.
  Nur logische Zusammenhänge wie Klamotten – Schrank, Job
  – Geld sowie putzen – sauber sind ihm vollkommen fremd.
- Der sportliche Typ mit austrainierten Muskeln und Drachen-
  oder Tribal-Tattoos, der einen ins Schlafzimmer tragen, aber
  mit dem man außerhalb desselben nicht sehr viel anfangen
  kann.
- Ein eher blasser Typ mit empfindlicher Haut, dessen Abenteuer darin besteht, dass er im Garten des Eigenheims selbst
  einen Teich anlegen möchte und der heute noch von dem

Bungee-Sprung erzählt, den er vor vier Jahren um ein Haar gemacht hätte.

- Der superwichtige Smartie, der in die Clubs nicht nur umsonst reinkommt, sondern auch die Türsteher mit Handschlag begrüßt. Er kennt außerdem »den H. P.« persönlich, woraufhin man selbst erst mal googelt, wessen Existenz da an einem vorbeigegangen ist.
- Der Beau mit der makellosen Haut und den hellweißen Zähnen. Er kommt aus gutem Hause und das Beste ist für ihn selbstverständlich. Er fährt Snowboard, Wasserski und das Auto, das ihm Papa geschenkt hat. Er ist der Typ, den man seiner Mutter vorstellt, damit sie vor den Nachbarn angeben kann.

In guten Fällen und wenn diese Typen etwas älter werden, verlieren oder verwaschen sich einige dieser Eigenheiten. Der langhaarige Surfer macht einen Laden auf und bekommt sogar das mit der Buchhaltung hin, und dem Handschlag-Smartie ist die Wichtigtuerei im Nachhinein selbst etwas peinlich – das gibt es alles. Man lernt ja dazu. Auch die Damen lernen dazu und irgendwann kommt der Punkt, da hat man begriffen: Man kann nicht alles haben. Oder um es mit einer alten Indianerinnen-Weisheit zu sagen:

1. Attraktiv
2. Witzig
3. Emotional stabil

– Such dir zwei von dreien aus.

Nach dieser Erkenntnis sieht man sich nach dem besten verfügbaren Modell um und versucht dann hinzubiegen, wo es hapert. Das ist die stressigste Option. Heerscharen von Frauen sind daran verzweifelt, ihre Männer in eine gewünschte Richtung zu ändern, oder sagen wir: zu optimieren. Dabei ist der optische Wandel noch der einfachste. Klamotten, Frisuren, Bärte und Waschbrettbäuche, das alles ist machbar. Als hartnäckig stellen sich eher unangenehme Angewohnheiten heraus.

Ich bekomme zum Beispiel jedes Mal die Krise, wenn ich L.'s gebrauchte Socken vom Boden aufsammle. Für andere mag sich das lapidar anhören, aber ich mache das seit Jahren, und ebenfalls seit Jahren ärgere ich mich und schnauze ihn deswegen an. Jana hingegen findet das überhaupt kein Problem, wird aber immer total sauer, wenn ihr Liebster vom Einkaufen zurückkommt: Er bringt nämlich immer das falsche Brot mit oder die Marmelade, die Jana nicht mag, oder den Joghurt mit den Stückchen oder die sauren Äpfel statt die süßen. Janas Ärger läuft sich schon warm, wenn der arme Kerl mit den Einkaufstüten zur Tür reinkommt. Finden Sie albern? Mag sein, ich finde es auch übertrieben, aber irgendwas ist eben immer. Vielleicht hat Ihr Exemplar die blöde Angewohnheit, ständig mit den Fingergelenken zu knacken, oder er lässt nach dem Rasieren immer einige Haare im Waschbecken liegen oder er sieht immer zehnmal nach, ob er sein Auto abgeschlossen hat, er lässt sein Geschirr stehen, schneidet sich im Wohnzimmer die Zehennägel, er ist unpünktlich, vergisst von drei Sachen zwei oder Sie wollen ihn nachts umbringen wegen seinem Schnarchen.

Es gibt Angewohnheiten, die lassen sich abstellen. (Um jegliche Hoffnung vorwegzunehmen: Schnarchen gehört nicht dazu.)

Als ich L. kennenlernte, sagte er zum Beispiel immer, wenn er sich zum Essen an einen Tisch setzte: »Sodele Nudele.« Zu Hause und im Restaurant und auch, wenn er mich zu einem Gala-Essen begleitete und auch, wenn an unserem Tisch der französische Botschafter mit versammelter Entourage saß.

Ich wurde schon nervös, wenn er den Stuhl zurückzog, um sich hinzusetzen. Sagt er es? Oder sagt er es nicht? Wenn er in dem Moment meinen drohenden Blick sah, riss er sich zusammen. War er aber mit den Gedanken woanders: »Sodele Nudele.« Es machte mich wahnsinnig. Einmal, als wir beim Italiener um die Ecke essen waren, kam gerade die Pizza und L. öffnete den Mund: »S...« – weiter kam er nicht. »SAG NICHT SODELE, NUDELE!«, blaffte ich ihn an und die Gäste an den umliegenden Tischen mitsamt dem Kellner mit der Calzone in der Hand sahen mich an, als hätte ICH nicht alle Tassen im Schrank. L. lächelte still in sich hinein und ich hasste ihn die ganze Pizza lang. Das *Sodele, Nudele* konnten wir erfolgreich abstellen. Es war eine Umgewöhnung und ich kam mir zwar blöd vor, aber es hat funktioniert.

Was überhaupt nicht funktioniert, ist die Sache mit den Socken. Ich ärgere mich und sammle sie auf, L. – nicht. Es ist auch keine Option, sie liegen zu lassen, wie mir Anne mal empfohlen hat: Es werden dann einfach immer mehr. Wenn er dann keine sauberen Socken mehr hat, ist das blöd, denn dann habe ich auch keine mehr.

Warum ich mich so über die Socken ärgere oder Jana über das falsche Brot, hängt damit zusammen, dass man dem anderen eine gewisse Haltung unterstellt: Ich unterstelle L. den Satz: »Die Alte (ich) räumt das schon weg«, und Jana hört in ihrem Kopf die Stimme: »Er schert sich nicht um dich, sonst wüsste er, was du magst.«

Das Lustige ist: Ich kann mich an alte Streitigkeiten mit meiner Mutter erinnern, als ich noch ein Teenager war: Da verteilte ich meine Klamotten großzügig auf dem Boden meines Zimmers und sie regte sich fürchterlich auf und sagte so etwas wie: »Du denkst wohl, die Alte (sie) räumt das schon weg.« Aber ich kann mich ebenfalls hervorragend daran erinnern, dass ich mir überhaupt nichts dabei dachte. Ich machte mir keinen einzigen Gedanken über meine Mutter, während ich Kleidung auf den Boden schmiss.

Und L. macht das auch nicht. Ich weiß auch, dass Janas Freund Jana abgöttisch liebt und alles für sie tun würde – nur das mit dem Brot bekommt er halt nicht hin.

Wenn ich das jetzt zusammenrechne, ärgere ich mich seit bald zehn Jahren jeden Morgen über Socken. Ist das zu fassen? Über Socken! Zehn Jahre! Das ist wirklich viel Ärger, wenn man das zusammenrechnet. Vor allem: Hätte ich mich in den zehn Jahren nicht über die Socken geärgert – das Ergebnis wäre das Gleiche gewesen, nämlich: Ich hebe sie auf und werfe sie in die Wäsche. Den Ärger hätte ich mir also sparen können, denn, jetzt kommt die wahnsinnige Erkenntnis des Jahrhunderts:

Wer sich nicht ärgert – ärgert sich nicht!

Oder wie Buddha es wesentlich besser ausgedrückt hat:

An seinem Ärger festzuhalten ist genauso wie eine glühende Kohle in die Hand zu nehmen, um sie nach jemandem zu werfen.

So viel zu dem Entschluss: *Ich ärgere mich nicht mehr über lapidare Makel* — aber der allein hilft noch nichts. Man ärgert sich trotzdem, sogar noch ein bisschen mehr, weil man seinen eigenen Vorsatz nicht umsetzen kann. Was aber hilft, ist die Einsicht:

L. hat in Sachen Socken eine spezielle Form der Sehbehinderung. Seine visuelle Wahrnehmungsfähigkeit ist hinsichtlich textiler Fußbekleidung derart eingeschränkt, dass keinerlei optische Reizverarbeitung möglich ist. Vermutlich hängt diese optische Störung eng mit der bekannten Boden-Blindheit zusammen, die eine Wahrnehmung von Textilien in Bodennähe generell erschwert.

Und Janas Freund leidet an einer speziellen Vorlieben-Amnesie! Sein Gedächtnis für inhaltliche Erinnerung ist hinsichtlich Janas Präferenzen im Lebensmittelbereich gestört. Es ist so viel leichter, sich zu sagen: *Kann er halt nicht. Pech.* Das ist viel leichter, als sich jeden Tag zu ärgern, zu maulen! Socken am Arsch vorbei! Ärgern am Arsch vorbei! Im Gegenzug bin ich froh, dass L. meine Leidenschaft für schöne Schuhe als *Abhängigkeitssyndrom durch orthopädische Substanzen* ansieht.

Wenn natürlich Ihr Herzblatt zu Hause plötzlich ein Faible für blonde Mittzwanzigerinnen entdeckt, wird es schwer, dies mit einer akuten Infektionskrankheit durch Schwachpigmentierte zu erklären und sich nicht darüber zu ärgern. Im Gegenteil, vielleicht steht in diesem Fall eine indizierte Abstoßung des Herzblatts an. Wenn es aber um die alltäglichen Dinge geht und Ihr Herzblatt ansonsten eine gute Wahl war, lassen Sie sich den Quatsch doch am Arsch vorbeigehen.

Für einige, äußerst verbreitete Symptome finden Sie hier das zugehörige Krankheitsbild:

Was tut er?	Welche Aussage unterstelle ich?	Was hat er wirklich?
Er braucht das Klopapier auf und stellt dann keine neue Rolle hin.	Es ist ihm egal, ob ich beim nächsten Mal hilf- und klopapierlos dahocke.	Partiell extrem eingeschränktes Kurzzeitgedächtnis, die Information von Klopapierverfügbarkeit betreffend
Er vergisst Jahrestage, Geburtstage etc.	Die Beziehung bedeutet ihm nichts.	Mit dem Langzeitgedächtnis ist es auch nicht weit her ...
Er schließt NIE die Zahnpastatube.	Er hält mich für seine Putze.	Ausgeprägte Zahnpasta-Tuben-Deckel-Phobie
Er hört nicht zu.	Er interessiert sich nicht für mich.	Beschränktes auditives Wahrnehmungsvermögen
Er schnarcht.	Es ist ihm egal, ob ich schlafen kann oder nicht.	Blockade der Atemwege

Hier ist Ihre persönliche Macken-Tabelle für Ihr Herzblatt. Notieren Sie die zugehörige medizinische Ursache für das Phänomen und dann: Huiiiiii, vorbei am Arsch.

Was tut er?	Welche Aussage unterstelle ich?	Was hat er wirklich?

NACHWÖRTCHEN

Vermutlich bin ich Ihnen während der Lektüre dieses Buches auf den Schlips getreten, eventuell sogar mehrmals. Vielleicht habe ich Ihre Lieblingsband beleidigt, bin über Ihren Sport hergezogen, Sie sind mein Chef (Hi, Detlef!) oder ich habe mich anderweitig in die Nesseln gesetzt. Was auch immer es war: Lassen Sie es sich am Arsch vorbeigehen, ich meine es nicht böse. Ich wollte Ihnen nur an meinen Beispielen veranschaulichen, wie wunderbar es ist wegzulassen, was einen nicht froh macht. Naturgemäß sind das bei mir ganz andere Dinge als bei Ihnen. Wenn Sie Lust bekommen haben, sich ebenfalls das eine oder andere am Arsch vorbeigehen zu lassen: Niemand kann sie aufhalten. In diesem Sinne: Toi, toi, toi und

Olé!

Was ich mir
alles am Arsch
vorbeigehen
lassen könnte